HYPERTENSION

MODUS VIVENDI

IMPORTANT

Ce livre ne vise pas à remplacer les conseils médicaux personnalisés, mais plutôt à les compléter et à aider les patients à mieux comprendre leur problème.

Avant d'entreprendre toute forme de traitement, vous devriez toujours consulter votre médecin.

Il est également important de souligner que la médecine évolue rapidement et que certains des renseignements sur les médicaments et les traitements contenus dans ce livre pourraient rapidement devenir dépassés.

© 2007 Family Doctor Publications, pour l'édition originale.
© 2007, 2014 Les Publications Modus Vivendi inc., pour l'édition française.

L'édition originale de cet ouvrage est parue chez Family Doctor Publications sous le titre *Understanding Blood Pressure*

LES PUBLICATIONS MODUS VIVENDI INC.
55, rue Jean-Talon Ouest, 2e étage
Montréal (Québec) H2R 2W8
CANADA

www.groupemodus.com

Éditeur : Marc Alain
Design de la couverture : Gabrielle Lecomte
Infographie : Transmédia
Traduction : Renée Boileau

ISBN : 978-2-89523-821-8

Dépôt légal – Bibliothèque et Archives nationales du Québec, 2014
Dépôt légal – Bibliothèque et archives Canada, 2014

Nous reconnaissons l'aide financière du gouvernement du Canada par l'entremise du Fonds du livre du Canada pour nos activités d'édition.

Gouvernement du Québec — Programme de crédit d'impôt pour l'édition de livres — Gestion SODEC

Imprimé en Chine

Table des matières

L'auteur

Le docteur D.G. Beevers est professeur de médecine et médecin-conseil au City Hospital de Birmingham. Il a été président de la British Hypertension Society et rédacteur du *Journal of Human Hypertension*. Il s'intéresse principalement aux aspects cliniques de l'hypertension et à l'importance d'une approche basée sur la population.

Introduction

Est-ce que l'hypertension est une affection fréquente ?

Si vous avez plus de 30 ans et que vous avez oublié à quand remonte la dernière vérification de votre tension (ou pression) artérielle, vous pouvez faire partie des 7 à 10 millions de personnes au Royaume-Uni qui souffrent d'hypertension. Les médecins utilisent habituellement ce terme pour décrire cet état qui ne présente peut-être aucun symptôme pendant de nombreuses années, mais qui pourrait entraîner de graves complications, notamment les cardiopathies et les accidents vasculaires cérébraux.

Dans ce livre, « hypertension » signifie un niveau de tension artérielle supérieur à la normale, à répétitions, qui doit être traité afin de prévenir les complications à long terme.

Qui souffre d'hypertension ?

L'hypertension est très courante (10 à 20 % de la population) au Royaume-Uni et à mesure que vous prenez de l'âge, vous risquez davantage de la développer. Cela dépend d'un certain nombre de facteurs, notamment les suivants :

- l'hérédité;
- le régime alimentaire et en particulier les quantités de sel et d'alcool que vous consommez;
- l'origine ethnique;
- le diabète;
- l'embonpoint;
- le niveau d'exercice pratiqué.

Comment établit-on un diagnostic d'hypertension ?

Si les faits semblent alarmants, il y a aussi de bonnes nouvelles. Le diagnostic de l'hypertension s'établit facilement : votre médecin ou le personnel de votre centre de santé peut rapidement mesurer votre tension artérielle, sans douleur. Lorsqu'elle est supérieure à la normale, on la vérifie trois ou quatre fois en vue de s'assurer que la première mesure n'était pas une erreur.

Comment traite-t-on l'hypertension ?

Même si vous en souffrez, vous pouvez compter parmi les nombreuses personnes qui n'ont pas besoin de médicaments pendant un certain temps (et peut-être à jamais), pourvu que vous apportiez quelques changements à votre style de vie qui réduiront votre tension artérielle tout en vous procurant des bienfaits généraux sur le plan de votre santé.

Lorsque vous devez suivre un traitement, de nombreux médicaments sont offerts sous forme de comprimés que vous prenez habituellement une fois par jour. La plupart des gens ne souffrent pas d'effets secondaires, mais si c'est le cas, il existe des solutions de rechange tout aussi efficaces.

Les médicaments modernes ont très peu d'effets secondaires. Les recherches ont montré que le contrôle de l'hypertension à l'aide de médicaments peut réduire le risque d'accident vasculaire cérébral de 35 à 40 % et le risque de maladies coronariennes de 20 à 25 %.

Une maladie sans symptômes

Ce que vous devez absolument savoir au sujet de l'hypertension est que vous pouvez en souffrir sans le savoir, jusqu'au moment où on constate que vous avez subi des lésions graves, ou si on vérifie votre tension artérielle. Il est possible de contrôler la tension artérielle même si elle est élevée, une fois qu'on a déterminé le problème. Si vous êtes fidèle au traitement prescrit et que vous passez régulièrement un examen médical, vos chances de développer des complications graves mettant éventuellement votre vie en danger sont considérablement réduites.

POINTS CLÉS

- Au Royaume-Uni, 7 à 10 millions de personnes souffrent d'hypertension.

- Il arrive fréquemment que l'hypertension ne soit pas diagnostiquée.

- Le traitement de l'hypertension sauve des vies.

Qu'est-ce que la tension artérielle ?

La tension artérielle

Lorsque les médecins parlent de tension artérielle, il s'agit de la pression exercée dans les gros vaisseaux sanguins lorsque votre cœur force le sang à circuler dans votre organisme. Dans l'ensemble, moins votre tension artérielle est élevée, plus vous êtes en santé à long terme (sauf dans certains cas très rares où la faible tension est due à une maladie sous-jacente).

Le système circulatoire

Dans les poumons, le sang capte l'oxygène de l'air que l'on respire. Le sang oxygéné entre dans le cœur d'où il

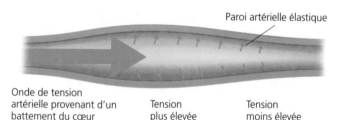

Paroi artérielle élastique

Onde de tension artérielle provenant d'un battement du cœur

Tension plus élevée

Tension moins élevée

La tension artérielle est la pression exercée dans les artères lorsque le cœur force le sang à circuler dans votre organisme.

est propulsé vers toutes les parties de l'organisme dans des vaisseaux sanguins, les artères. Les gros vaisseaux sanguins se ramifient en vaisseaux de plus en plus petits, jusqu'aux artérioles microscopiques qui rejoignent éventuellement de minuscules réseaux de capillaires.

Ce réseau de grosses artères, d'artérioles moyennes et de minuscules capillaires permet au sang d'atteindre chacune des cellules de l'organisme et d'y déposer son oxygène, utilisé par les cellules pour produire l'énergie vitale dont elles ont besoin pour survivre.

Par la suite, le sang désoxygéné retourne au cœur par les veines et il est propulsé de nouveau vers les poumons où il refait ses provisions d'oxygène.

Au cours de chaque battement cardiaque, le muscle du cœur se contracte et propulse le sang dans l'organisme. La pression produite par le cœur est plus élevée lorsqu'il se contracte. C'est ce qu'on appelle la pression systolique (valeur supérieure). Par la suite, le muscle du cœur se détend avant la prochaine contraction, et la pression est alors à son point le plus bas. C'est la pression diastolique (valeur inférieure). On mesure ces deux pressions lorsqu'on vérifie votre tension artérielle.

Il est difficile de définir la démarcation entre des tensions normale et anormale. La meilleure définition est peut-être le niveau de tension au-dessus duquel un traitement vaut la peine d'être suivi (voir p. 24).

Le système cardiovasculaire

Diagramme montrant le cœur et la circulation avec les veines (bleues) drainant le sang vers le cœur, qui le propulse vers les poumons et vers le reste de l'organisme par les artères (rouges). Les plus gros vaisseaux sanguins se ramifient en vaisseaux de plus en plus petits, puis en réseaux de minuscules capillaires, où l'oxygène et les éléments nutritifs passent du sang vers les cellules environnantes.

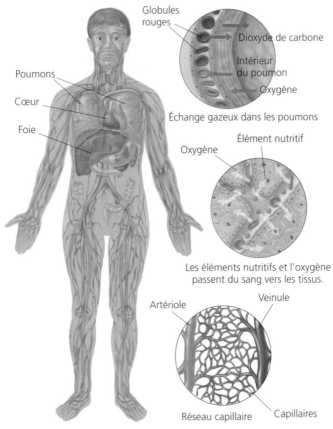

Globules rouges

Dioxyde de carbone

Intérieur du poumon

Oxygène

Échange gazeux dans les poumons

Poumons

Cœur

Foie

Élément nutritif

Oxygène

Les éléments nutritifs et l'oxygène passent du sang vers les tissus.

Artériole

Veinule

Réseau capillaire

Capillaires

Les artères sont illustrées en rouge, et les veines en bleu.

La séquence d'un battement cardiaque

Elle comporte trois phases. La régularité de ces phases doit être maintenue avec précision, peu importe la lenteur ou la rapidité des battements cardiaques.

Côté droit
Le sang désoxygéné retourne vers le cœur et aboutit dans l'oreillette droite.

PENDANT QUE

Côté gauche
Le sang oxygéné provenant des poumons retourne au cœur et aboutit dans l'oreillette gauche.

Sang provenant de l'organisme

Oreillette droite

Oreillette gauche

Sang provenant des poumons

Ventricule droit

Ventricule gauche

Pression diastolique

Le sang désoxygéné passe au ventricule droit.

PENDANT QUE

Le sang oxygéné passe au ventricule gauche.

Sang vers l'organisme

Le ventricule droit se contracte, propulsant le sang désoxygéné à travers les poumons.

PENDANT QUE

Le ventricule gauche se contracte, propulsant le sang oxygéné vers l'organisme.

Sang vers les poumons

Sang vers le corps

Pression systolique

Qu'est-ce qui détermine la tension artérielle ?

La tension artérielle est déterminée par :

- la force de propulsion de chaque battement cardiaque; plus la force est grande, plus la tension est élevée;

- le volume sanguin dans la circulation; un volume plus important augmentera la tension artérielle;

- le diamètre des vaisseaux sanguins; plus le vaisseau est étroit, plus la tension est élevée.

POINTS CLÉS

- La tension artérielle est causée par un rétrécissement des artérioles microscopiques dans tous les tissus.

- La pression systolique est la pression exercée dans les plus gros vaisseaux lorsque le cœur se contracte.

- La pression diastolique est la pression exercée lorsque le cœur se détend entre les battements.

Mesurer votre tension artérielle

À quelle fréquence devrait-on mesurer la tension artérielle ?

Certaines personnes font vérifier leur tension au moins une fois, par le médecin ou l'infirmière, au moment d'une intervention chirurgicale à l'hôpital, ou dans le cas d'une femme enceinte, à la clinique prénatale. Vous pouvez la vérifier à la pharmacie, dans un magasin d'aliments naturels ou vous-même, à l'aide d'une trousse spéciale que vous pouvez acheter en vente libre.

Environ la moitié des adultes n'ont jamais vérifié leur tension, car ils se sentent en bonne santé et ne consultent pas de médecin. Comme la tension artérielle élevée ne présente en général aucun symptôme, un grand nombre de ces adultes découvriront que leur tension est élevée s'ils passent un examen médical de routine. On recommande maintenant à tous les adultes de faire vérifier leur tension au moins une fois tous les cinq ans. Si celle-ci n'est pas tout à fait normale, des vérifications plus fréquentes sont nécessaires.

Comment mesure-t-on la tension artérielle ?

Bien que la méthode idéale soit de mesurer la tension à l'intérieur des artères, elle est impraticable à grande échelle, car elle requiert l'utilisation d'aiguilles. Toutefois, il est possible d'obtenir un reflet fidèle de la pression sous laquelle le sang est propulsé grâce à une approche moins invasive. On vous demandera de vous asseoir et la personne qui vérifie votre tension passera autour de la partie supérieure de votre bras un manchon à paroi interne caoutchoutée, qui fait partie d'un dispositif de mesure de la pression appelé sphygmomanomètre.

Déterminer la pression systolique

On gonfle le manchon à l'aide d'une pompe à main ou automatiquement, à l'aide d'un dispositif de mesure électronique. Cela interrompra temporairement le flux sanguin vers votre bras. On dégonfle alors le manchon lentement, jusqu'à ce que la pression soit assez faible pour que le sang passe sous le manchon. Les dispositifs de mesure électroniques peuvent détecter ce flux sanguin. Le médecin ou l'infirmière peut aussi écouter les sons sur l'artère, juste au-dessous du manchon, au moment où le sang commence à s'écouler.

Déterminer la pression diastolique

Pendant que le manchon continue de se dégonfler, une turbulence se produit dans l'artère sous-jacente, car elle n'est bloquée qu'en partie seulement. Enfin, le manchon atteindra la pression où il n'y a plus de rétrécissement de l'artère sous-jacente et, à ce moment, les manomètres (dispositifs de mesure de la pression) électroniques peuvent détecter l'absence de toute turbulence. Le médecin ou l'infirmière peut aussi remarquer que les sons de la turbulence ont disparu.

La pression détectée au moment où le sang commence à passer sous le manchon est la pression systolique.

La pression détectée lorsqu'il n'y a pas de turbulence dans l'artère, parce que la pression du manchon est faible, est la pression diastolique. La pression systolique coïncide avec la pression maximale dans l'arbre artériel, et la pression diastolique coïncide avec la pression minimale dans le système.

Les problèmes de mesure

Cette technique de mesure indirecte de la tension artérielle a l'avantage d'être facile à effectuer. Néanmoins, elle comporte quatre sources d'erreurs.

Le patient

La tension est faussement élevée si le patient est très anxieux ou s'il participe à une discussion trop animée. On peut minimiser ce type d'erreurs en prenant la tension dans un milieu paisible et silencieux. Quelquefois la première lecture peut être élevée, mais les deuxième ou troisième lectures peuvent être sensiblement moins élevées, à mesure que le patient se familiarise avec la technique.   '

L'observateur

Il s'agit surtout de l'ancienne méthode de mesure de la tension à l'aide d'un stéthoscope et d'une colonne de mercure. Le fait d'entendre les sons diastolique et systolique est subjectif et sujet à l'erreur.

Le manchon

Si le manchon est trop petit, la tension artérielle est sur-évaluée. Il est aussi très important qu'il soit placé exactement au même niveau que le cœur. Si le manchon est placé au-dessus du niveau du cœur, la tension artérielle sera sous-évaluée, et s'il est placé au-dessous, elle sera surévaluée.

Le manomètre

Les dispositifs de mesure de tension électroniques et au mercure peuvent être précis. La plupart des dispositifs électroniques sur le marché répondent aux critères établis par la British Hypertension Society (BHS) ou l'Association for the Advancement of Medical Instrumentation (AAMI). Il est important de n'utiliser que les dispositifs approuvés par la BHS et l'AAMI. Les dispositifs au mercure peuvent se détériorer s'ils ne sont pas entretenus régulièrement.

Chez un petit nombre de patients, il est impossible de mesurer la tension à l'aide de dispositifs électroniques. Dans ces circonstances, le médecin ou l'infirmière devra utiliser un manomètre au mercure. Les mesures à l'aide d'un tel instrument jugé fiable demeurent l'« étalon de référence », mais depuis l'avènement des dispositifs automatiques et semi-automatiques, cet instrument est rarement utilisé. Tous les centres de santé généraux et les cliniques externes des hôpitaux doivent avoir un manomètre au mercure fonctionnel alors qu'il doit y avoir des dispositifs automatiques et semi-automatiques dans chaque salle.

Un avantage important du matériel électronique est que le clinicien peut prendre plusieurs lectures sans efforts et obtenir une image plus vraie de la tension

Comment mesure-t-on la tension artérielle ?

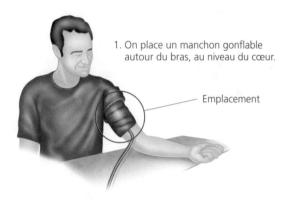

1. On place un manchon gonflable autour du bras, au niveau du cœur.

Emplacement

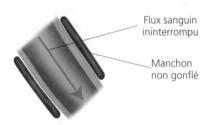

Flux sanguin ininterrompu

Manchon non gonflé

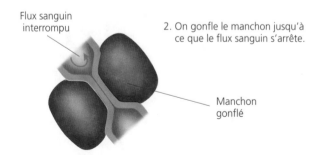

Flux sanguin interrompu

2. On gonfle le manchon jusqu'à ce que le flux sanguin s'arrête.

Manchon gonflé

Comment mesure-t-on la tension artérielle ? (suite)

3. Le manchon est dégonflé suffisamment pour que le sang s'écoule en le contournant. Par conséquent, la pression dans le manchon est égale à la pression la plus élevée dans l'artère (pression systolique).

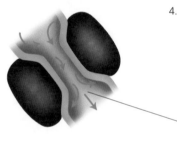

4. À mesure que l'on dégonfle le manchon, une turbulence du flux sanguin se produit dans l'artère et peut être détectée.

Turbulence

5. On dégonfle le manchon jusqu'à ce que les sons de turbulence disparaissent. La pression dans le manchon est alors égale à la pression la plus faible dans l'artère (pression diastolique).

Flux sanguin ininterrompu

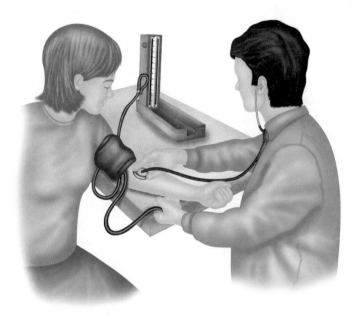

artérielle réelle à mesure que le patient se familiarise avec la technique. De plus en plus, on considère qu'une seule lecture de la tension artérielle à l'aide d'un manomètre au mercure a peu de valeur sur le plan clinique. Les tensions artérielles élevées doivent être vérifiées de nouveau. La plupart se stabilisent en 5 à 10 minutes.

Prendre une mesure de la tension artérielle

Habituellement, on vous demandera de vous asseoir et on placera le manchon autour de votre bras au niveau de votre cœur. Il est très important de vous détendre le plus possible et de soutenir votre bras en appuyant le coude sur la table. L'effort nécessaire pour maintenir

votre bras élevé pourrait donner une mesure faussement élevée.

La tension artérielle varie considérablement d'une
personne à l'autre et la vôtre peut augmenter si vous
êtes anxieux ou tendu, alors essayez de vous détendre
le plus possible pendant la mesure. Votre médecin ou
votre infirmière prendra probablement la première
mesure comme guide approximatif et prendra une
deuxième mesure pour obtenir la mesure réelle. Si votre
tension artérielle se stabilise nettement à un niveau
inférieur entre la première et la deuxième mesure, vous
pourriez avoir besoin de troisième et quatrième lectures
lors de votre prochaine visite à la clinique, quelques
jours ou quelques semaines plus tard, pour vous assurer
que la valeur finale est vraiment représentative.

Cela est particulièrement important si la première
lecture ou la deuxième est à peine au-dessus de la
normale. Des indices laissent croire que chez la plupart
des gens, la tension artérielle « atteint un plancher » à
la quatrième visite et diminue peu par la suite. Il existe
néanmoins de nombreuses exceptions à cette règle.

Quel bras doit-on utiliser ?

On doit d'abord vérifier la tension artérielle dans les
deux bras. Par la suite, s'il n'y a pas de différence
importante entre les deux, on peut utiliser le bras situé
le plus à la portée du médecin. On trouve des différences
importantes entre les deux bras chez environ 10 % de la
population. S'il existe une différence, on doit mesurer
la tension artérielle dans le bras où elle est la plus élevée.
Cette situation est courante chez les patients plus âgés
et elle peut provenir du rétrécissement des vaisseaux
sanguins dans le bras (voir p. 26).

Si votre bras est plus gros que la moyenne (plus de 30 cm de circonférence), la personne qui mesure votre tension doit utiliser un manchon plus gros, autrement la mesure peut être faussement élevée. Chez environ 15 % des personnes qui souffrent d'hypertension, la circonférence du bras est supérieure à 30 cm, il est donc essentiel d'utiliser la bonne grosseur de manchon.

Debout ou assis ?

Bien qu'il soit rare qu'on vous demande de vous lever pour prendre votre tension, car il vous est alors plus difficile d'appuyer votre bras, cela se produit à l'occasion (par exemple chez certaines personnes qui souffrent de diabète, chez les personnes âgées ou celles qui souffrent d'étourdissements ou d'autres symptômes lorsqu'elles sont debout).

La tension artérielle peut chuter brièvement chez les diabétiques lorsqu'ils se lèvent. En général, la tension artérielle en position debout varie peu, mais dans certains cas, notamment chez les diabétiques, une chute de tension plus importante peut se produire. C'est ce qu'on appelle l'hypotension orthostatique. Elle peut être accompagnée ou non d'étourdissements.

La pression systolique et la pression diastolique

Comme nous l'avons vu, la mesure de la tension artérielle inclut à la fois la pression systolique (la plus élevée) et la pression diastolique (la moins élevée) de votre système; la mesure comprendra donc deux chiffres. Selon les conventions, la tension artérielle est représentée par la pression systolique sur la pression diastolique, par exemple 140/90 mm Hg (millimètres de mercure).

$$\frac{140}{90}$$

Pression systolique
La pression produite dans la circulation lorsque le cœur se contracte.

Pression diastolique
La pression dans la circulation entre les battements cardiaques.

L'importance relative des deux pressions a fait l'objet de nombreuses études. Contrairement à la croyance générale, après 40 ans, la pression systolique est plus importante lorsqu'il s'agit de prédire qui développera ou non une cardiopathie. Le problème est que la tension artérielle individuelle varie considérablement, et plus encore.

L'importance de la pression systolique a été mise en évidence récemment avec la publication de deux études fiables. Celles-ci ont montré les bienfaits de réduire la pression systolique chez les gens dont la pression diastolique était normale ou inférieure à la normale. Médicalement, cet état porte le nom d'hypertension systolique isolée. La grande majorité des personnes atteintes ont au moins 65 ans et, sans traitement, elles sont très susceptibles de développer une cardiopathie ou un accident vasculaire cérébral.

En général, il est préférable que les mesures de votre tension artérielle soient plus faibles. On traite l'hypertension en vue de réduire tous les facteurs de risque de cardiopathies, comme le tabagisme ou les niveaux de cholestérol sanguin élevés, et pour maintenir la tension sous 140/85 mm Hg.

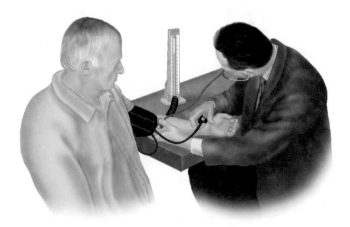

L'hypertension réactionnelle se manifeste chez les personnes dont la tension artérielle augmente particulièrement lorsqu'elles se trouvent en présence d'un médecin.

Hypertension réactionnelle

Ce type d'hypertension s'applique aux personnes chez qui la tension monte particulièrement lorsqu'ils consultent un médecin. Depuis quelques années, il est possible d'enregistrer la tension artérielle à la maison pendant une période de 24 heures (à l'aide d'un matériel électronique). On a constaté que la tension artérielle de nombreuses personnes revenait au niveau normal environ une heure après une intervention chirurgicale ou après avoir quitté l'hôpital. Lorsque cela se produit, il s'agit d'hypertension réactionnelle. On la détecte à l'aide de la technique de monitorage ambulatoire de la pression artérielle (MAPA).

L'importance réelle de ce type d'hypertension demeure incertaine, mais les données actuelles portent à croire que les gens qui en souffrent ne peuvent être considérés comme pleinement normaux. Des données suggèrent que le volume de leur cœur est plus susceptible d'augmenter et, de plus, ils peuvent développer dans les cinq ans une hypertension permanente qui devra être traitée. Autrement dit, même si les personnes qui souffrent d'hypertension réactionnelle n'ont pas à être traitées sur-le-champ, elles devront faire vérifier leur tension tous les 6 ou 12 mois.

De même, l'hypertension réactionnelle se manifeste avec plus d'ampleur chez de nombreuses personnes qui souffrent déjà d'hypertension et font l'objet d'un traitement. Par conséquent, à bonne distance du milieu médical, leur tension est beaucoup moins élevée et le médecin doit en tenir compte dans le dosage des médicaments.

La mesure de la tension artérielle à la maison

Si vous devez mesurer votre tension artérielle à la maison, vous avez le choix de plusieurs moyens.

- Vous pouvez vous procurer l'un des nouveaux dispositifs de mesure de la tension artérielle électroniques à un prix abordable, bien que certains d'entre eux ne soient pas encore très précis. Les meilleurs d'entre eux sont faciles à utiliser et à lire en plus d'être portables.

- Si vous achetez l'un de ces dispositifs, on vous conseillera probablement de l'emporter à l'hôpital, à la clinique ou au centre de santé afin que le médecin ou l'infirmière puisse vérifier sa précision comparativement à l'étalon de référence au mercure. Si vous achetez un dispositif semi-automatique, assurez-vous que le manuel du fabricant précise que le matériel a été mis à l'épreuve et que sa précision a été démontrée selon les critères de la British Hypertension Society (BHS) ou de l'American Association for Medical Instrumentation (AAMI).

- Vous n'avez qu'à placer le manchon autour de votre bras et à appuyer sur un bouton. Vous pouvez prendre autant de mesures que vous le voulez, ce qui peut être utile pour votre médecin, à condition que le dispositif soit précis.

Plus rarement, on peut vous fournir un dispositif de mesure de tension au mercure et vous montrer, à vous ou à l'un de vos proches, comment l'utiliser pour mesurer la tension artérielle. Mais cela est plutôt rare depuis l'avènement des manomètres électroniques semi-automatiques.

- Dans certains cas, votre médecin peut installer un système de mesure à domicile avec monitorage ambulatoire de la pression artérielle (MAPA) de 24 heures. On trouve maintenant sur le marché plusieurs systèmes précis et fiables que vous pouvez programmer pour mesurer la tension artérielle environ toutes les 30 minutes durant 24 heures. Étonnamment, ces appareils ne semblent pas troubler le sommeil pendant la nuit. Bien que la valeur de ce type de monitorage fasse toujours l'objet d'une certaine controverse, la méthode est acceptable pour obtenir des renseignements qui aideront votre médecin à confirmer que vous souffrez d'hypertension réactionnelle.

Les dispositifs de mesure de la tension artérielle électroniques
peuvent être faciles à utiliser, mais vous devez vous assurer
de choisir un appareil précis.

- Des dispositifs de mesure de la tension artérielle
  au poignet et au doigt sont aussi maintenant offerts.
  Toutefois, leur précision n'est toujours pas établie et,
  pour cette raison, ils ne sont pas recommandés.

POINTS CLÉS

- Il est important d'être complètement détendu lorsqu'on mesure votre tension artérielle.

- On sait maintenant que la pression systolique est aussi importante, et même plus que la pression diastolique.

- Vous pouvez utiliser un dispositif de mesure automatique pour mesurer votre tension artérielle à domicile.

Qu'est-ce que l'hypertension et quels sont ses effets ?

Diagnostiquer l'hypertension

Si votre tension artérielle est régulièrement supérieure à 160/100, on vous dira que vous souffrez d'hypertension. Si elle est supérieure à 140/90 mm Hg, vous pouvez souffrir d'hypertension légère.

Le plus souvent, la tension artérielle augmente avec l'âge. Par conséquent, l'hypertension doit être traitée chez 10 à 20 % des patients âgés de plus de 20 ans. Toutefois, jusqu'à 60 % des patients de plus de 60 ans nécessitent un traitement. Pour cette raison, les tensions artérielles supérieures à 120/80 et inférieures à 140/90 mm Hg sont parfois considérées comme « hautes normales » ou « préhypertension », car une très grande proportion de ces personnes développeront une légère hypertension au cours des années subséquentes.

Définir l'hypertension

Les mesures de la tension artérielle constituent un indicateur remarquablement précis de l'espérance de vie : plus la tension est élevée, plus le risque de cardiopathie augmente. Dans une population donnée, même les gens dont la tension artérielle est moyenne présentent un risque légèrement plus élevé que les gens dont la tension est inférieure à la moyenne. Pour cette raison, il est très difficile d'établir une simple définition de l'hypertension. De façon pratique, et parce que tous les médicaments entraînent des effets secondaires, on pourrait la définir comme le niveau de tension artérielle où les médicaments font plus de bien que de tort.

Ainsi, si votre tension artérielle est supérieure à 160/100 mm Hg et que vous présentez plusieurs facteurs de risque de cardiopathie, comme un taux de cholestérol élevé, si vous fumez et si vous avez des antécédents familiaux de cardiopathie, les médicaments vous seront probablement profitables (voir p. 81).

Les critères de diagnostic tiennent maintenant compte du risque cardiovasculaire du patient dans son ensemble plutôt qu'en se basant simplement sur la tension artérielle. Par conséquent, pour les personnes qui présentent un risque élevé (comme celles qui souffrent de diabète ou qui ont déjà eu un accident vasculaire cérébral ou une crise cardiaque), une tension artérielle de 140/90 mm Hg nécessitera un traitement et, dans certains cas, une tension moins élevée sera traitée si le risque cardiovasculaire est très élevé.

Par ailleurs, pour certaines jeunes personnes dont la tension est à peine élevée et qui ne présentent aucun autre facteur de risque de cardiopathie, on peut retarder le traitement, qui aurait très peu de bienfaits.

Il est toutefois essentiel de vérifier leur tension environ tous les six mois.

Le tueur silencieux

C'est ainsi qu'on qualifie l'hypertension, car elle ne présente habituellement aucun symptôme avant la fin de son développement. Contrairement à la croyance générale, vous ne pouvez sentir votre propre tension artérielle. La seule façon de déterminer si elle est élevée est de la mesurer à l'aide d'un dispositif à cet effet (voir p. 9 à 23).

Comme l'hypertension ne présente aucun symptôme, environ la moitié de ceux qui en souffrent l'ignorent, jusqu'au moment où les complications se manifestent.

Pourquoi l'hypertension est-elle un facteur de risque important ?

Les vaisseaux sanguins ressemblent à des tubes de caoutchouc qui transportent le sang en permanence, partout où il est nécessaire. Les artères, qui transportent le sang au moment où il sort du cœur, subissent la plus forte pression. Si la pression sanguine exercée est plus élevée qu'en temps normal, et cela pendant de nombreuses années, comme dans le cas de l'hypertension non traitée, les vaisseaux subissent des lésions. La paroi interne des artères devient rugueuse et s'épaissit, les artères rétrécissent et deviennent moins souples ou élastiques. C'est ce qu'on appelle l'artériosclérose.

Lorsqu'une artère devient trop étroite, le sang ne peut plus s'écouler normalement et la partie du corps qui dépend de cette artère reçoit un apport sanguin et en oxygène insuffisant. À mesure que l'artère rétrécit, les caillots sanguins qui se forment (thrombose) peuvent bloquer l'artère complètement, ce qui entraîne la mort de la partie du corps qui en dépend. On appelle infarctus la région du cœur ou du cerveau qui est morte.

Les autres facteurs de risque

Après de nombreuses années, l'hypertension peut être la cause de ces problèmes. C'est la raison pour laquelle vous devez faire mesurer votre tension artérielle régulièrement et la traiter efficacement si elle est élevée. Par ailleurs, vous risquez davantage de développer ces complications si vous fumez et si vous souffrez d'un taux de cholestérol sanguin élevé et non traité. En effet, tout comme l'hypertension, le tabagisme provoque des lésions aux vaisseaux sanguins, rétrécissant les artères dont la paroi interne devient rugueuse et épaisse.

Un taux de cholestérol élevé peut entraîner des dépôts de gras dans la paroi interne des artères, appelés athéromes, qui se développent plus rapidement qu'en temps normal et contribuent à rétrécir les artères. Lorsque cette accumulation de dépôts se produit dans les artères qui alimentent le muscle cardiaque, on parle de coronaropathie. Tout comme la tension artérielle, votre taux de cholestérol sérique ne doit pas être trop haut et le traitement des taux trop haut peut sauver des vies.

Un autre facteur de risque courant pouvant contribuer au rétrécissement des artères, est le diabète (diabète de type 2, non-insulinodépendant), qui touche 4 à 5 % des Blancs et 10 à 15 % des Asiatiques et des Africains du sud (Caraïbes) au Royaume-Uni. Des taux de glucose sanguin élevés endommagent les artères tout comme l'hypertension.

Le diabète de type 1 (insulinodépendant) se manifeste habituellement chez les jeunes, qui sont plus susceptibles de développer une néphropathie et des lésions rétiniennes.

Pourquoi mesure-t-on la tension artérielle ?

On vérifie la tension artérielle, car si vous souffrez d'hypertension, il est possible de la traiter et de réduire à un niveau normal les risques de cardiopathie et d'accident vasculaire cérébral . La gravité de votre hypertension au départ n'est pas tellement importante, ce qui compte réellement est de bien la contrôler par la suite.

Il est préférable d'avoir souffert d'hypertension grave qui a été bien traitée au fil du temps que d'avoir une tension artérielle légèrement élevée jamais traitée ou négligée.

Les conséquences à long terme de l'hypertension

Bien qu'il y ait de nombreuses conséquences graves à l'hypertension, on doit insister sur le fait qu'il est possible de les prévenir grâce à un traitement efficace.

L'angine

Le cœur est un muscle et il a besoin d'un apport sanguin qui lui est fourni par les artères coronaires. Si ces artères rétrécissent, son apport en sang est réduit. Ainsi, lorsqu'il doit fournir un effort supplémentaire, comme lorsque vous montez une côte, il n'obtient pas l'apport sanguin et l'oxygène dont il a besoin, et vous ressentez une douleur à la poitrine, qu'on appelle angine ou ischémie myocardique.

La thrombose coronaire

Elle se produit lorsqu'un caillot se forme dans les artères coronaires qui transportent le sang au muscle cardiaque. Dans une crise cardiaque, le caillot se forme habituellement sur une lésion de la plaque d'athérome d'un vaisseau malade.

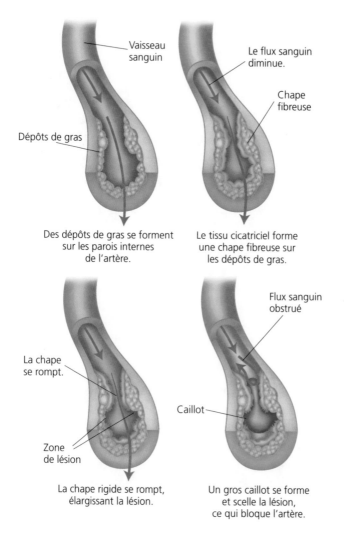

Des dépôts de gras se forment sur les parois internes de l'artère.

Le tissu cicatriciel forme une chape fibreuse sur les dépôts de gras.

La chape rigide se rompt, élargissant la lésion.

Un gros caillot se forme et scelle la lésion, ce qui bloque l'artère.

Les facteurs de risque de coronaropathie

Plusieurs facteurs influencent le risque de développer une coronaropathie. Plus le nombre de ces facteurs qui s'appliquent à vous est élevé, plus vous risquez de développer une coronaropathie.

Facteurs de risque
Plus vous présentez de facteurs de risque, plus vous risquez de développer une coronaropathie.

La crise cardiaque

Lorsqu'une artère coronaire se rétrécit et qu'un caillot sanguin se forme, la partie du cœur qui dépend de cette artère meurt. C'est ce qu'on appelle une thrombose coronaire, un infarctus du myocarde ou une crise cardiaque.

L'insuffisance cardiaque et la dyspnée

Au cours des années, à mesure que les artères rétrécissent et perdent de leur élasticité en raison de l'hypertension, il devient de plus en plus difficile pour le cœur de pomper le sang efficacement vers le reste de l'organisme. Cette charge accrue endommage le cœur tôt ou tard et réduit son rendement. De l'eau s'accumule dans les poumons, ce qui cause de la dyspnée (ou

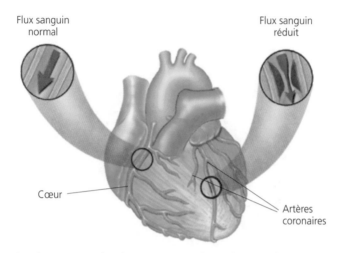

Les changements dans les artères coronaires qui causent l'angine.

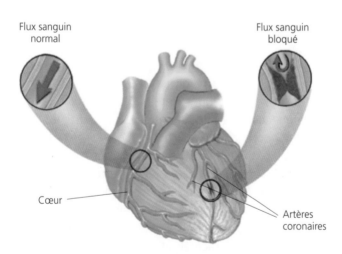

Les changements dans les artères coronaires qui causent
une crise cardiaque.

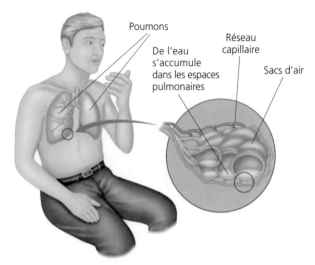

Poumons

De l'eau s'accumule dans les espaces pulmonaires

Réseau capillaire

Sacs d'air

Un excès d'eau passe du sang aux tissus des poumons, où il s'accumule, causant la dyspnée.

essoufflement). C'est ce qu'on appelle l'insuffisance cardiaque gauche ou l'insuffisance ventriculaire gauche (IVG).

Accident vasculaire cérébral (AVC)

Le rétrécissement d'une artère qui transporte le sang et l'oxygène au cerveau peut entraîner une perte de fonction temporaire dans la partie irriguée par cette artère. C'est ce qu'on appelle un accident ischémique transitoire (AIT). Lorsqu'un caillot bloque l'artère de façon permanente, cette partie du cerveau meurt (infarctus cérébral), causant un AVC. Plus rarement, les vaisseaux sanguins peuvent éclater, ce qui entraîne une hémorragie (hémorragie intracérébrale).

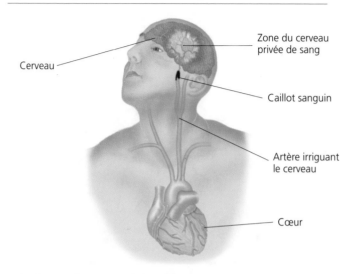

Cerveau

Zone du cerveau
privée de sang

Caillot sanguin

Artère irriguant
le cerveau

Cœur

Le blocage d'une artère irriguant le cerveau entraîne un accident
ischémique cérébral.

La maladie artérielle périphérique

Les plus petits vaisseaux situés dans les jambes peuvent
aussi subir des lésions, ce qui réduit la quantité de sang
qui parvient aux pieds et cause de la douleur dans les
muscles des mollets pendant la marche. C'est ce qu'on
appelle la claudication intermittente.

Les lésions rénales

Lorsque les vaisseaux sanguins qui irriguent les reins
sont touchés, il peut s'ensuivre des lésions progressives
qui entravent l'élimination des déchets provenant du
métabolisme, notamment les médicaments.

C'est pourquoi l'analyse sanguine de la fonction rénale
constitue une partie importante des examens médicaux
réguliers pour ceux qui souffrent d'hypertension.

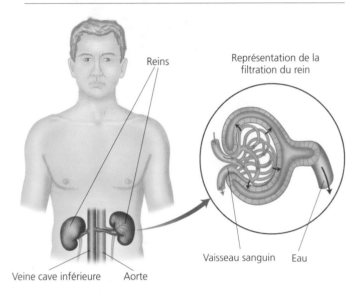

Reins

Représentation de la filtration du rein

Vaisseau sanguin   Eau

Veine cave inférieure   Aorte

Habituellement, l'organisme compte deux reins. Leurs fonctions sont d'excréter l'urine puis de réguler l'eau, la composition en électrolytes et l'acidité du sang.

Les lésions oculaires

Les petits vaisseaux sanguins des yeux peuvent aussi être touchés, mais les lésions ne deviennent apparentes que lorsque la détérioration est importante. Très rarement, dans les cas très graves d'hypertension, la rétine peut subir des lésions accompagnées d'hémorragie. Cela dit, les perspectives sont très bonnes pour le traitement de cette affection appelée l'hypertension artérielle maligne.

POINTS CLÉS

- L'hypertension est l'un des trois facteurs de risque de crise cardiaque et d'accident vasculaire cérébral.

- Les autres facteurs sont le tabagisme et un taux de cholestérol élevé.

- Réduire la tension artérielle (et le taux de cholestérol) épargne des vies.

Quelles sont les causes de l'hypertension ?

Catégoriser l'hypertension

Dans 95 % des cas, il n'existe pas de cause précise et on parle d'hypertension essentielle ou primaire. Pour les 5 % qui restent, des problèmes de reins ou de glandes surrénales, situées au-dessus des reins, sont à l'origine de l'hypertension que les médecins appellent secondaire.

Les facteurs de risque d'hypertension

Un certain nombre de facteurs peuvent contribuer à élever la tension artérielle. Comme l'hérédité y joue un rôle, elle peut se transmettre d'une génération à l'autre. La tension artérielle a tendance à augmenter avec l'âge, mais cela est dû en partie aux changements dans le style de vie; de nombreuses personnes prennent du poids et sont moins actives en vieillissant. Ces deux facteurs peuvent causer l'hypertension. Fait encore plus important, la tension augmente davantage chez les gens qui consomment beaucoup de sel.

Facteurs de risque d'hypertension

Modifiables (que nous pouvons influencer)	Non modifiables (hors de notre contrôle)
• Tabagisme • Cholestérol élevé • Diabète • Obésité • Stress • Manque d'exercice • Régime alimentaire (sel)	• Facteurs génétiques, p. ex. un taux de cholestérol élevé héréditaire. • Sexe : plus d'hommes que de femmes souffrent d'hypertension. • Âge • Origine ethnique

L'origine ethnique joue un rôle. La prévalence de l'hypertension est plus élevée chez les personnes d'origine afro-antillaise que chez les personnes de race blanche vivant dans le monde occidental, probablement parce que leur organisme traite le sel différemment. Cela dit, des études sur la migration ont révélé que le régime alimentaire et d'autres facteurs liés au style de vie jouent un rôle beaucoup plus important que le facteur racial. Quiconque vit dans un pays occidental opulent est plus susceptible de souffrir d'hypertension que ceux qui vivent dans les pays en voie de développement.

De façon générale, la tension artérielle varie au cours d'une même journée et elle est plus élevée pendant un exercice, car le cœur doit propulser le sang plus rapidement dans l'organisme. Cela dit, au repos, la tension des gens qui s'entraînent régulièrement est moins élevée que celle des gens inactifs. Votre tension artérielle baisse lorsque vous dormez ou que vous êtes au repos.

On prendra plus d'une mesure de votre tension avant de diagnostiquer l'hypertension.

Vous devez avoir au moins deux mesures élevées ou limites (plus de 140/90) à trois occasions différentes, en plus de deux mois. Idéalement, on doit vérifier votre tension artérielle lorsque vous êtes assis, reposé et aussi détendu que possible. Si votre tension est dangereusement élevée ou, dans certaines circonstances, lorsqu'une femme est enceinte, des mesures plus urgentes peuvent s'avérer nécessaires.

Comment l'organisme régularise-t-il la tension artérielle ?

Le système nerveux sympathique

Dans l'organisme, deux systèmes aident à maintenir la tension artérielle en toutes circonstances. Le système nerveux sympathique libère des substances chimiques comme l'adrénaline et la noradrénaline qui dilatent les artérioles microscopiques ou les rétrécissent en les contractant, au besoin, selon la partie de votre organisme qui doit se préparer à agir.

Ce système nous permet de concentrer nos ressources physiques à l'endroit voulu, de réagir à une crise et de survivre à une menace. Les fonctions non essentielles comme la digestion cessent alors pendant la durée de la crise, et l'organisme se prépare à combattre ou à fuir. Dans les débuts de l'humanité, les dangers physiques étaient nombreux et cette fonction était essentielle. De nos jours, ce système se déclenche la plupart du temps au moment d'un stress psychologique ou émotionnel plutôt qu'en raison d'une situation menaçante.

En rétrécissant les petits vaisseaux sanguins, le processus joue un rôle dans l'hypertension. Les médicaments peuvent agir sur ce système. Par exemple, les alpha-bloquants et les bêtabloquants peuvent aider à la contrôler.

Le système rénine-angiotensine

Le deuxième système de contrôle de la tension artérielle est une enzyme produite par les reins, la rénine, qui active l'angiotensine II, une hormone qui contracte les vaisseaux sanguins. Elle est bloquée par des médicaments appelés inhibiteurs de l'enzyme de conversion de l'angiotensine (ECA) (p. ex., le perindopril), qui peuvent aider à réduire la tension artérielle.

Plus récemment introduits sur le marché, les bloqueurs des récepteurs de l'angiotensine (p. ex., le losartan) sont aussi efficaces que les inhibiteurs ECA.

L'angiotensine stimule aussi la libération d'une hormone par les glandes surrénales, l'aldostérone, qui provoque la rétention de l'eau et du sel par les reins et peut élever davantage la tension artérielle.

Le calcium

Les parois des artérioles, ces vaisseaux sanguins microscopiques, constituées de muscle lisse, se contractent lorsque les concentrations de calcium augmentent. Les gens qui souffrent d'hypertension présentent des taux de calcium plus élevés dans les cellules de leurs muscles lisses, bien qu'on en ignore la cause.

Chez les gens qui souffrent d'hypertension, on croit que l'augmentation de la concentration du calcium provoque la contraction des artérioles et que le cœur doit fournir plus d'efforts pour propulser le sang à travers ces vaisseaux. Cette contraction endommage à long terme leurs parois, ce qui augmente la tension,

Constriction et dilatation des artères

Les vaisseaux sanguins microscopiques de la circulation sont appelés artérioles. Si celles-ci se resserrent, elles entravent le flux sanguin et la tension artérielle augmente. Les plus grosses flèches indiquent une tension artérielle plus élevée.

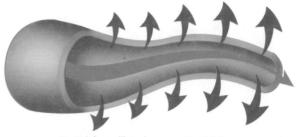

L'artériole se dilate; la tension artérielle diminue.

L'artériole se resserre; la tension artérielle augmente.

Dilatée   Normale   Resserrée

car le flux sanguin est perturbé. Les médicaments qui bloquent les canaux calciques (inhibiteurs calciques comme la nifépidine) détendent les artérioles, ce qui réduit la tension.

Bien que les hormones mentionnées ici (rénine, angiotensine, aldostérone, adrénaline et noradrénaline) jouent un rôle dans la régulation de la tension artérielle chez tous les individus, il semble que les gens qui souffrent d'hypertension en subissent davantage les effets, non parce que leur sang contient une plus grande quantité de ces hormones, mais parce que les médicaments qui bloquent leurs effets réduisent la tension seulement si elle était élevée auparavant.

La voie commune de ces mécanismes est le rétrécissement des artérioles, ce qui augmente la résistance au flux sanguin. Comme le cœur continue de pomper normalement, alors la tension augmente dans tout le système artériel.

L'importance de vos habitudes de vie

En ce qui vous concerne, votre tension artérielle dépend de l'influence réciproque des facteurs génétiques ou héréditaires et de vos habitudes de vie. De toute évidence, l'hypertension s'observe souvent chez les membres d'une même famille, ce qui demeure vrai même si on tient compte du fait qu'ils ont tendance à adopter le même régime alimentaire et les mêmes habitudes de vie. Des recherches de haut calibre effectuées sur des jumeaux élevés séparément ou ensemble et sur des enfants adoptés comparés à des enfants non adoptés ont permis d'établir à quel point la similarité dans la tension artérielle entre les membres d'une même famille est plus le résultat de l'hérédité que celui des habitudes de vie semblables. En gros, près de la moitié de la variation de tension artérielle chez les gens résulte de facteurs génétiques et l'autre moitié de facteurs alimentaires en cause depuis la petite enfance.

La consommation de sel

La consommation de sel agit directement sur la tension artérielle. Il a été démontré, dans les sociétés urbaines, que l'augmentation de la tension artérielle, à mesure que nous vieillissons, résulte en grande partie de la quantité de sel que nous mangeons. Réduire sa consommation de sel aide à réduire la tension artérielle. La consommation élevée de sel pendant de nombreuses années favorise probablement la tension en augmentant

L'hypertension : problèmes dans l'ensemble de la circulation

Les parois des artères saines sont élastiques et elles s'adaptent à l'onde de tension artérielle. Si les parois deviennent rigides, elles ne peuvent plus s'adapter et la tension augmente.

Paroi souple   Paroi rigide

Si les artérioles rétrécissent, la résistance au flux sanguin augmente. Comme le cœur continue à pomper normalement, alors la tension augmente.

Artérioles   Artérioles
normales   resserrées

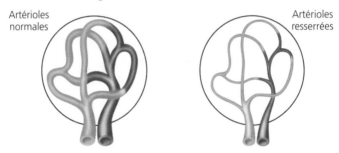

la teneur en sodium des cellules musculaires lisses dans les parois des artérioles. Cette teneur élevée en sodium semble faciliter l'entrée du calcium dans les cellules, ce qui provoque une contraction et une diminution du diamètre interne des artérioles.

Il existe des preuves démontrant que l'organisme des gens qui ont des antécédents de tension artérielle a une capacité réduite à éliminer le sel. Par contre, rien n'indique que ces personnes consomment plus de sel que d'autres, bien que leur corps aient tendance à conserver la quantité de sel qu'elles ingèrent.

L'effet de l'hypertension soutenue sur le cœur

Lorsque cet état persiste, le muscle cardiaque épaissit et devient plus volumineux à mesure qu'il fournit plus d'efforts pour contrer la tension plus élevée. Le muscle est alors plus rigide et fonctionne moins bien lorsque le muscle cardiaque était normal.

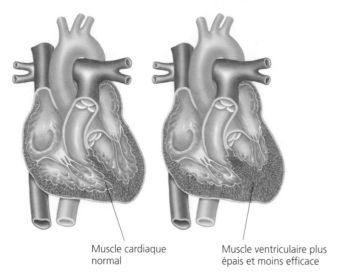

Muscle cardiaque normal

Muscle ventriculaire plus épais et moins efficace

Les données des études

La relation entre le sel et l'hypertension est controversée depuis de nombreuses années, en grande partie parce que les premières recherches n'ont pas été menées avec suffisamment de rigueur. Or, au milieu des années 1980, une étude comparative internationale très fiable a établi de façon convaincante qu'il existait un lien étroit entre la consommation de sel et la tension artérielle, en comparant des gens provenant de pays différents. Par exemple, les Japonais, les Polonais et les Portugais consomment beaucoup de sel et souffrent plus fréquemment de tension artérielle élevée et d'AVC.

De plus, l'étude a démontré que les populations dont le régime alimentaire comporte une grande quantité de sel montrent aussi une tension artérielle qui augmente davantage avec l'âge. Par contraste, les populations qui consomment peu de sel montrent une faible augmentation de la tension avec l'âge et par, conséquent, l'hypertension y est relativement moins courante. Comme on le verra plus loin, nous disposons maintenant d'un bon corpus de données indiquant que la réduction de la consommation de sel réduit la tension artérielle.

Néanmoins, il existe certainement des variations dans la façon dont l'organisme métabolise le sel, et certaines personnes y sont plus sensibles que d'autres. Cela est probablement vrai pour les personnes qui ont des antécédents familiaux reconnus d'hypertension. De même, les personnes âgées sont plus sensibles au sel que les gens d'origine africaine ou caribéenne.

Les enfants et le sel

La relation entre la consommation de sel et le développement de l'hypertension a été confirmée récemment par une étude fiable qui a d'abord observé des bébés sevrés avec un régime normal ou faible en sel. Après six mois, la tension artérielle était meilleure (moins élevée) chez les bébés qui consommaient moins de sel. Une proportion d'entre eux est suivie depuis 15 ans et leur tension artérielle est toujours considérablement moins élevée.

En persuadant les enfants de consommer moins de sel, on pourrait prévenir l'hypertension, ce qui signifie que nous devrions nous inquiéter sérieusement de la quantité de sel contenue dans les croustilles et autres collations que les enfants consomment de nos jours en grande quantité. La Food Standards Agency exerce des pressions sur l'industrie alimentaire afin qu'elle réduise la teneur en gras et en sel des aliments transformés et prêts-à-manger, et l'industrie commence enfin à réagir dans ce sens.

Il est par ailleurs intéressant de remarquer qu'une consommation élevée de sel est maintenant considérée comme une cause de cancer de l'estomac, d'asthme et d'ostéoporose (perte des minéraux des os).

Votre poids

Les gens qui ont un excédent de poids ont tendance à avoir une tension artérielle plus élevée que les gens minces. Cela s'explique en partie parce que les gens obèses doivent travailler plus fort pour brûler l'excès de calories qu'ils consomment, en partie parce qu'ils consomment plus de sel que la normale, et possiblement parce que les personnes obèses ont tendance à être résistantes à l'insuline qui transforme les sucres du sang et qui peut jouer un rôle dans l'hypertension, bien qu'on en comprenne encore mal les mécanismes.

Bien que les personnes qui ont un excédent de poids semblent souffrir d'hypertension plus que les gens de poids normal, cette situation peut s'expliquer par la tendance des médecins et des infirmières qui utilisent les dispositifs de mesure de tension traditionnels à surestimer leur tension artérielle. Plus la circonférence du bras où l'on applique le manchon est importante, plus la tension artérielle est surestimée. Pour résoudre le problème, on pourrait utiliser un manchon plus gros.

L'indice de masse corporelle

Malgré cette tendance à surestimer la tension, il existe toujours un lien probant entre le poids et la tension artérielle. On ne peut établir que vous êtes obèse simplement à partir de votre poids (les personnes de grande taille ont en général un poids plus élevé que les personnes de petite taille), alors les médecins se fient plutôt à l'indice de masse corporelle (IMC). On le calcule en prenant votre poids en kilogrammes et en le divisant par le carré de votre taille en mètres (voir p. 48).

Une personne qui a un IMC de 30 ou plus est considérée comme obèse, alors que si l'IMC se situe entre 25 et 30, on dit qu'elle a un excédent de poids.

Le rapport taille/hanche

Des preuves récentes suggèrent fortement que l'IMC n'est pas vraiment un facteur de risque du développement des maladies cardiovasculaires. On considère maintenant plutôt le rapport taille/hanche. Or donc, à mesure que la taille augmente (comme un « pneu » autour de la taille ou une « bedaine ») comparativement aux hanches, le risque de développer l'hypertension, le diabète, les crises cardiaques et un AVC augmente.

L'importance de perdre du poids

Des enquêtes sur la population ont révélé que la variation de tension artérielle entre les gens, par rapport à leur poids, est d'environ 1 mm de mercure (mm Hg) par kilogramme (ou 2 lbs) de poids. Lorsque vous engraissez, le poids que vous gagnez est un bon guide de l'augmentation de votre tension.

Si vous perdez du poids, votre tension artérielle chutera à un taux que vous pouvez prévoir à l'aide de la même formule.

La relation entre le poids et la tension artérielle est plus complexe que ce qu'on croyait au départ, et il peut y avoir un lien avec des effets importants de certaines hormones, de même que la capacité de l'organisme à métaboliser le sel. D'un point de vue pratique, perdre du poids est un moyen très efficace de réduire votre tension.

Est-ce que votre poids est sain ?

- L'indice de masse corporel (IMC) est une mesure utile pour viser un poids sain.
- Déterminez votre taille en mètres et votre poids en kilogrammes.
- IMC = $\dfrac{\text{Votre poids}}{[\text{Votre taille (mètres) x votre taille (mètres)}]}$

  p. ex.: 24,8 = $\dfrac{70}{[1,68 \times 1,68]}$
- Il est recommandé de maintenir un IMC de 20 à 25.
- Le graphique ci-dessous est un moyen facile d'évaluer votre IMC. Le point d'intersection des lignes de votre taille et de votre poids indique votre IMC.

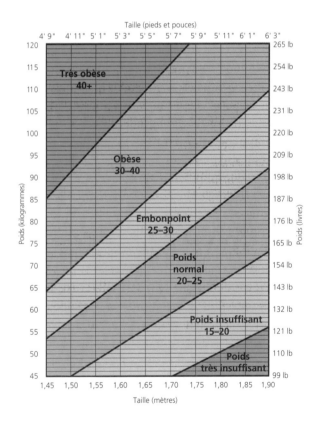

Que représente une unité d'alcool ?

Une bouteille de spiritueux de 1 litre (brandy, whisky ou gin) contient environ 40 unités d'alcool. Voici des exemples de 1 unité d'alcool.

Un petit verre de sherry, de porto ou de vin fortifié

Un verre de vin normal

Une demi chopine de bière

Une mesure d'apéritif ou de spiritueux

L'alcool

L'alcool a un effet sur la tension artérielle et, en gros, plus vous buvez d'alcool, plus votre tension artérielle est élevée, bien qu'on comprenne mal pourquoi. Néanmoins, les personnes abstinentes ont tendance à avoir une tension plus élevée que les buveurs très modérés. Chez les hommes, cela signifie qu'un ou deux verres de vin par jour peuvent offrir une légère protection contre les maladies cardiaques. Chez les femmes, la consommation sécuritaire de l'alcool équivaut à environ les deux tiers de celle des hommes, c'est-à-dire un verre par jour.

Les gens qui boivent davantage et qui abusent de l'alcool auront très probablement une tension artérielle élevée et une forte tendance à développer des AVC. Lorsque ces gens cessent de boire, leur tension arté-rielle diminue.

Bien que la relation entre l'alcool et la tension arté-rielle soit maintenant reconnue, étonnamment, son mécanisme demeure largement inconnu. Toutefois, d'un point de vue pratique, les médecins recommandent que les hommes s'en tiennent à un maximum de 21 unités d'alcool par semaine (soit 10,5 chopines de bière ou 21 petits verres de vin) et les femmes à tout au plus 14 unités (7 chopines de bière ou 14 petits verres de vin), et ces unités ne doivent pas être consommées d'un coup. En fait, il est préférable de ne pas consommer plus de trois boissons alcoolisées par jour si vous êtes un homme et deux si vous êtes une femme.

Le stress

Le stress peut élever votre tension artérielle à court terme, mais il n'explique pas les augmentations à long terme. Les techniques de relaxation peuvent améliorer votre qualité de vie, mais elles ne suffiront pas à contrôler l'hypertension.

La relation entre le stress et la tension artérielle porte à confusion et bon nombre des recherches antérieures dans ce domaine ne sont pas satisfaisantes selon les normes actuelles.

Le stress à court terme

Sans aucun doute, les stimuli très stressants peuvent causer une forte augmentation de la tension artérielle. Par exemple, si vous recevez des nouvelles très mauvaises ou très pénibles, votre tension peut être élevée peu de temps après. De même, dans les situations expérimentales, le stress de l'arithmétique mentale dans un milieu bruyant ou le triage d'objets de tailles différentes cause une forte augmentation de la tension.

Si le fait de consulter votre médecin, qu'il s'agisse de votre médecin de famille ou d'un établissement hospitalier, vous rend nerveux et anxieux, votre tension montera probablement. Pour cette raison, on devrait vous demander de revenir et prendre votre tension de nouveau et à plusieurs occasions si elle est légèrement élevée lors de votre première visite. L'idée est que lorsque vous devenez plus familier avec le milieu et la procédure, vous pourrez mieux vous détendre et la mesure reflétera davantage votre tension artérielle en temps normal.

Le stress chronique (à long terme)

Bien que les effets du stress à court terme sur la tension soient bien connus, nous avons peu de preuves que le stress à long terme entraîne l'hypertension chronique. Des études fiables n'ont révélé aucun lien entre le niveau de stress, évalué par des questions précises et détaillées, et la mesure de la tension. Les gens qui ont un travail très stressant ne souffrent pas davantage d'hypertension ou de maladies cardiaques que les autres. Cela dit, les recherches dans ce domaine ont été sérieusement entravées par le manque de procédures pour obtenir des mesures fiables du stress; le sujet demeure donc passablement controversé.

Certaines preuves semblent indiquer que les gens qui ont moins de contrôle sur leur vie quotidienne au travail ont une tension artérielle plus élevée que ceux qui gèrent leur vie au travail plus efficacement. Ainsi, les travailleurs manuels ont tendance à avoir une tension artérielle plus élevée que les directeurs ou les cadres supérieurs. Toutefois, les différences entre les groupes sont aussi liées aux différences de style de vie et de régime alimentaire, et il est difficile de savoir avec certitude si ces différences résultent uniquement du stress.

Mangez beaucoup de fruits et de légumes! Vous améliorerez votre santé générale et votre bien-être.

Le potassium et le calcium

Manger des aliments qui contiennent du potassium, comme les fruits et légumes, aide à maintenir une tension artérielle faible. Toutefois, un régime à haute teneur en potassium va généralement de pair avec une faible consommation de sel, alors il est difficile de déterminer ce qui aide le plus. Cela dit, le potassium semble bénéfique en soi. De très bons indices révèlent que les gens dont le régime alimentaire est faible en potassium ont une tension plus élevée, alors que ceux qui mangent beaucoup de fruits et de légumes ont une tension plus faible et une incidence moins élevée d'AVC. Cette interprétation est logique parce que nous savons que les cellules réagissent à une teneur élevée en potassium en éliminant le sodium (sel).

Cet effet de la consommation de potassium sur la tension artérielle est cependant faible, comparativement à celui du sel. Néanmoins, il est vrai de dire que les variations dans la consommation de sel sont associées à des variations parallèles dans la consommation de potassium. Autrement dit, les gens qui consomment beaucoup d'aliments riches en potassium consomment généralement peu de sel, alors que les adeptes du sel ont tendance à manger moins de fruits et de légumes.

Cette conclusion a été confirmée en 2006 avec la publication d'un aperçu détaillé de toutes les études de population sur la consommation de fruits et de légumes et les AVC. Cela démontre que les gens qui consomment plus de cinq portions de fruits ou de légumes par jour ont une incidence considérablement plus faible d'AVC que ceux qui en consomment moins de trois portions par jour. Selon une autre étude, aussi publiée en 2006, il est fort possible que la protéine végétale des légumes secs et des noix soit responsable de cet effet sur la tension, bien qu'il puisse y avoir un lien avec la teneur élevée en potassium.

Certaines recherches laissent croire qu'un régime alimentaire riche en calcium peut avoir un effet de diminution négligeable sur la tension. Néanmoins, ces résultats sont très controversés et selon l'état actuel de la connaissance, il n'est pas possible de recommander un régime alimentaire particulier.

Les graisses animales

Les premières études sur la relation entre l'apport en graisses animales (surtout sous forme de produits laitiers) et l'hypertension n'étaient guère convaincantes. Toutefois, une étude américaine récente, très fiable, a révélé qu'un apport réduit en graisses animales est associé à une chute importante de la tension artérielle. Cette étude montre aussi qu'un régime alimentaire faible en sel et riche en fruits et légumes réduit encore

L'effet du régime alimentaire sur la tension artérielle

Ce diagramme montre les effets d'un régime normal (contrôle) et du régime DASH (faible en produits laitiers, en graisses animales et riche en fruits et légumes) sur la pression systolique tout en suivant un régime à teneur élevée, moyenne et faible en sel. Le passage d'un régime alimentaire malsain à un régime sain entraîne une chute de 8,9 mm Hg de la pression systolique, un effet à peu près équivalent à celui d'un seul hypotenseur.

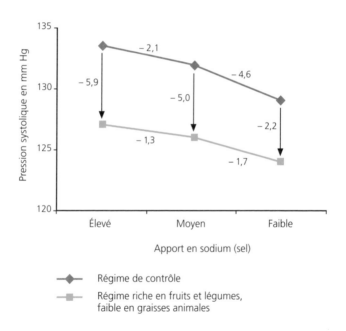

Sacks *et al.* « Effects on Blood Pressure of Reduced Dietary Sodium and the Dietary Approaches to Stop Hypertension (DASH) Diet », *New England Journal of Medicine*, vol. 344 (2001), p. 3-10.

plus la tension, une fois associé avec un régime faible en gras.

Il apparaît clairement que de nombreux facteurs nutritionnels influencent la tension artérielle, et ceux-ci font l'objet d'un projet de recherche d'envergure internationale mis sur pied en 1997. Les résultats préliminaires ont montré que toutes les différences de tension artérielle entre les individus peuvent s'expliquer par la nutrition et le style de vie, tout en tenant compte des effets de l'âge.

L'exercice

Bien que votre tension artérielle grimpe en flèche pendant un exercice, votre tension sera moins élevée et vous serez en meilleure santé si vous en faites régulièrement que les gens dont le mode de vie est plus sédentaire. Bien que l'exercice ait un effet direct sur la tension, sa diminution est aussi due au fait que les gens actifs ont tendance à adopter une alimentation plus saine, à ne pas fumer et à boire modérément. Cela dit, il est préférable de pratiquer des exercices modérés mais réguliers, plutôt qu'à l'excès de temps à autre.

Les symptômes de l'hypertension

La grande majorité des gens qui souffrent d'hypertension ne manifestent aucun symptôme. Certaines personnes croient qu'elles peuvent « sentir » leur tension, mais ce qu'elles ressentent en fait est plutôt le stress émotionnel de l'hôpital ou d'un événement stressant survenu peu de temps auparavant. Il est possible que ce stress à court terme élève la tension artérielle.

En réalité, l'hypertension ne cause aucun symptôme et c'est pourquoi elle peut passer inaperçue pendant de nombreuses années, jusqu'à ce que des lésions subtiles au cœur, au cerveau et aux reins se manifestent. À un stade plus avancé, la personne peut se rendre chez le médecin parce qu'elle commence à éprouver des malaises. Elle peut avoir subi un petit AVC ou une angine (douleur thoracique à l'effort), ou même une petite crise cardiaque. Si elle a développé une insuffisance cardiaque, elle peut se sentir essoufflée lorsqu'elle s'étend, alors que l'insuffisance rénale peut provoquer la fatigue générale et l'épuisement, de même que l'essoufflement.

N'attendez pas d'être malade avant de faire vérifier votre tension artérielle

N'attendez pas les problèmes graves. Selon la tendance actuelle, toute personne de plus de 30 ans doit faire vérifier sa tension régulièrement par son médecin de famille. Elle sera probablement normale, il ne sera pas nécessaire de la traiter, mais si c'était le cas, vous devriez la faire vérifier de nouveau tous les trois ou quatre ans. Si votre tension est à la limite de l'acceptable, vous devrez la faire vérifier plus souvent.

Tous les adultes devraient subir un examen régulier. Les personnes plus jeunes et même les enfants peuvent avoir des antécédents familiaux reconnus d'hypertension et doivent être suivis.

Est-ce que l'hypertension est une affection fréquente ?

Elle est plus courante avec l'âge, surtout chez les populations qui consomment beaucoup de sel. Ainsi, en évaluant la fréquence de l'affection, on doit tenir compte de l'âge des personnes.

La tension artérielle des femmes préménopausées (qui ont des règles tous les mois) a tendance à être moins élevée que celle des hommes du même âge, bien que la différence entre les sexes soit moins apparente après 50 ans. En effet, avant la ménopause, les femmes sont relativement protégées des maladies cardiaques par l'œstrogène, dont les niveaux chutent après la ménopause. La fréquence des maladies cardiaques devient alors semblable à celles des hommes.

Toute ligne de démarcation entre la tension artérielle élevée et la tension normale est purement arbitraire. Même si votre tension se situe autour de la moyenne de la population, vous êtes plus à risque que si votre tension se situe constamment sous ce niveau. Par conséquent, le pronostic est légèrement moins bon si votre tension artérielle est de 140/80 mm Hg que si elle est de 130/70 mm Hg.

Comme je l'ai déjà expliqué, la définition la plus pratique de l'hypertension est le niveau de tension artérielle qui nécessite un traitement en vue de prévenir les maladies cardiaques, les AVC ou d'autres complications associées à l'hypertension. Selon l'état actuel de la connaissance et les essais cliniques fiables du traitement de l'hypertension à l'aide de médicaments comparativement à des placebos, nous savons que le traitement est indiqué si la tension est constamment de 160/100 mm Hg ou plus, à tout âge.

Ce seuil est encore plus bas chez les personnes à haut risque qui ont déjà souffert d'une crise cardiaque, d'un AVC ou si elles sont diabétiques. Elles doivent suivre un traitement si leur tension est constamment de 140/85 à 140/90 mm Hg.

Près de 25 % des gens ont une pression diastolique de 90 mm Hg ou plus. Cependant, on doit souligner que bon nombre d'entre eux ont une tension moins élevée à la deuxième lecture, alors un traitement n'est peut-être pas nécessaire. Si la pression est la même à la deuxième lecture, vous devrez peut-être suivre un traitement.

Si votre pression diastolique est inférieure à 90 mm Hg, mais que votre pression systolique est supérieure à 160 mm Hg, le diagnostic sera l'hypertension systolique isolée. Elle est plutôt rare chez les gens ayant plus de 60 ans, mais elle affecte 20 à 30 % des personnes de plus de 80 ans. Des recherches récentes ont révélé qu'un traitement visant à réduire la pression systolique protège très efficacement des crises cardiaques et des AVC chez ces patients.

Si l'on tient compte de tous les types d'hypertension chez les gens de plus de 60 ans, environ 35 à 40 % des hommes et des femmes du Royaume-Uni doivent subir un examen plus poussé en cas de pression diastolique ou systolique élevée. Néanmoins, ce pourcentage est plus faible chez les gens qui consomment moins de sel que la moyenne nationale.

La variation géographique

Les enquêtes laissent croire qu'entre 7 et 10 millions de gens au Royaume-Uni présentent des niveaux élevés de tension artérielle. Les facteurs socio-économiques semblent jouer un rôle, car les gens qui vivent dans les régions plus pauvres sont plus à risque que ceux qui vivent dans un milieu aisé. Les maladies cardiaques et les AVC sont certainement plus fréquents au nord et au nord-est de l'Angleterre et en Écosse que dans le sud-est de l'Angleterre, bien que cette variation reflète aussi les mœurs tabagiques.

On doit le souligner, de nombreuses mesures de tension légèrement élevées de prime abord diminuent à la deuxième mesure. Les estimations du nombre de personnes souffrant d'une tension artérielle élevée qui

Taux de décès par coronaropathie selon les régions, au Royaume-Uni

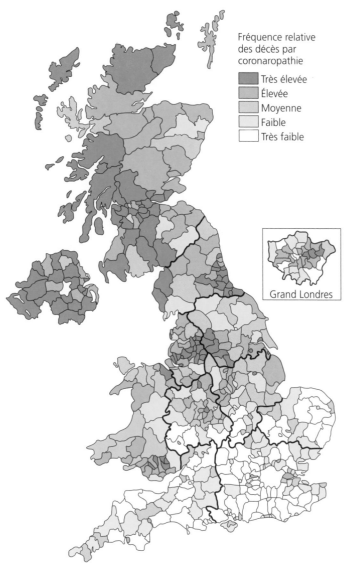

Fréquence relative
des décès par
coronaropathie

■ Très élevée
■ Élevée
■ Moyenne
□ Faible
□ Très faible

Grand Londres

Source : Base de données statistiques de la British Heart Foundation.

nécessite un traitement varient entre 10 et 15 % dans la population adulte. Cela représente une très petite partie des gens de 20 à 30 ans, mais environ la moitié des plus de 70 ans.

Par conséquent, l'hypertension est l'affection chronique non infectieuse la plus courante dans le monde occidental. Environ 50 millions de personnes aux États-Unis ont besoin d'un traitement médical de leur tension; le chiffre est semblable dans l'Union européenne. La fréquence de l'hypertension au Royaume-Uni est plus élevée qu'en France, en Italie, en Espagne et en Grèce, mais elle est semblable à celle de la Suède et du Danemark. Néanmoins, au Royaume-Uni et aux États-Unis, l'hypertension est plus courante chez les gens d'origine africaine, pour des raisons plus ou moins obscures. Il est possible que leur organisme traite le sel de leur alimentation de façon différente et l'élimine moins bien, ce qui élève leur tension artérielle. Consultez les pages 36 à 38 pour de plus amples détails.

POINTS CLÉS

- L'hypertension s'observe souvent chez les membres d'une même famille.

- L'hypertension est liée à une forte consommation de sel, à l'excédent de poids et à l'abus d'alcool.

- La tension artérielle élevée est rarement le résultat d'une affection rénale ou d'un excès d'hormones.

Évaluation de l'hypertension

Pourquoi effectuer d'autres tests ?

Lorsque votre tension artérielle augmente, on doit effectuer d'autres tests et procéder à des examens plus poussés pour les trois principales raisons suivantes.

- Pour vérifier votre taux de cholestérol. Si votre tension artérielle et votre taux de cholestérol sont élevés, le risque de développer une maladie cardiaque et un AVC augmente proportionnellement et vous aurez besoin d'un traitement pour les ramener à la normale.

- Pour savoir s'il y a une maladie grave à l'origine de votre hypertension. Celle-ci est parfois causée par certaines affections rénales et par des affections très rares des glandes surrénales, situées sur les reins.

- Pour vérifier s'il y a présence de lésions au cœur ou aux reins. Une lésion peut se produire en cas d'hypertension prolongée non traitée. On procède à des analyses sanguines pour mesurer la fonction rénale, et la taille du cœur est évaluée par un électrocardiogramme (ECG). Les radiographies pulmonaires ne sont pas un indicateur fiable de la taille du cœur et ne sont pas recommandées.

Les examens de routine

Si votre tension artérielle est élevée, vous avez besoin d'une analyse d'urine; on prélèvera aussi un petit échantillon de sang et vous passerez un ECG. On mesurera votre poids et, au besoin, on vous dira comment perdre du poids, ce qui réduira probablement votre tension.

Le médecin examinera votre cœur, votre poitrine, votre ventre et le pouls dans vos jambes pour déterminer si l'hypertension a touché votre cœur ou vos reins.

L'insuffisance cardiaque entraîne une rétention d'eau, qui s'accumule dans les poumons et qu'on peut entendre avec un stéthoscope. Elle peut aussi provoquer un

On mesurera votre poids.

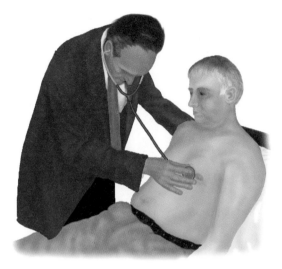

Le médecin examinera votre poitrine.

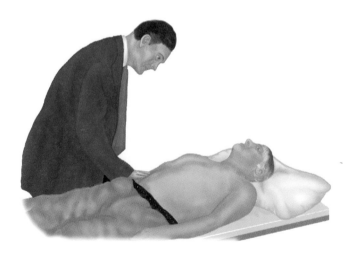

Le médecin examinera votre ventre.

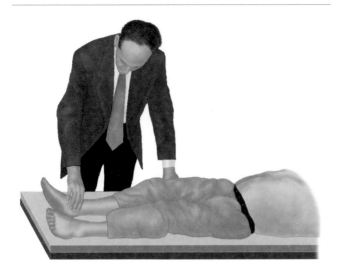

Le médecin examinera vos chevilles.

On prélèvera un petit échantillon de sang.

élargissement du côté gauche que le médecin peut observer. Une lésion rénale ne peut se diagnostiquer qu'au moyen d'analyses d'urine et sanguine.

Si votre hypertension est très grave, le médecin utilisera probablement un ophtalmoscope pour examiner l'arrière de vos yeux (la rétine) en vue d'y évaluer les minuscules vaisseaux sanguins. Dans les cas bénins, ces vaisseaux sont légèrement modifiés, tandis que dans un cas très grave, il peut y avoir présence d'hémorragie sur la rétine et des lésions appelées « exsudats cotonneux ».

L'analyse d'urine

Après l'examen clinique, on vous demandera probablement de donner un petit échantillon d'urine à des fins d'analyse. Si on trouve du sucre dans l'urine, on peut soupçonner que le diabète est en cause. La présence de protéines peut indiquer un problème rénal.

Le médecin peut examiner votre rétine.

L'analyse sanguine

Elle sert à mesurer votre taux de cholestérol et à vérifier votre fonction rénale. Si elle est normale, la créatininémie est généralement inférieure à 120 millimoles par litre (mmol/L). L'insuffisance rénale est grave si elle est supérieure à 600 mmol/L. Si les reins fonctionnent mal, les taux d'urée et de créatinine du sang augmentent. On mesure aussi les taux de sodium et de potassium. Ces taux sont anormaux, dans le sang d'une personne qui souffre d'hypertension. La présence d'une tumeur bénigne des glandes surrénales (syndrome de Conn) entraîne la rétention du sodium.

L'électrocardiogramme

Un ECG est un enregistrement de l'activité électrique du cœur. Son but est double. Premièrement, il donne un indice indirect de la taille du cœur. Lorsque la tension est très élevée, le cœur grossit en vue de s'adapter à une plus grande charge, ce qui augmente les tensions sur le ECG. C'est ce qu'on appelle l'hypertrophie ventriculaire gauche, et elle est très importante. Lorsqu'on diagnostique cet état, la personne doit suivre très rapidement un traitement pour réduire sa tension artérielle, car cela indique que son cœur est soumis à un stress important et fournit un effort intense lorsqu'il propulse le sang dans l'organisme.

Deuxièmement, l'ECG peut montrer des modifications qui suggèrent un rétrécissement ou un blocage des artères coronaires qui irriguent le muscle cardiaque. Ce processus est appelé « ischémie » et on l'observe chez les gens qui souffrent d'angine (douleurs thoraciques) à l'effort. Même si vous n'avez aucun symptôme d'angine ni aucune raison de croire que vous avez déjà subi une crise cardiaque, vous pouvez néanmoins

L'ECG à l'exercice

Lorsqu'on soupçonne une maladie coronarienne et l'hypertension, on peut faire passer un ECG à l'exercice en faisant marcher la personne sur un tapis roulant, sous étroite supervision médicale. L'ECG peut montrer des modifications de l'ischémie ou une mauvaise irrigation de la paroi du cœur qu'on ne peut pas observer au repos.

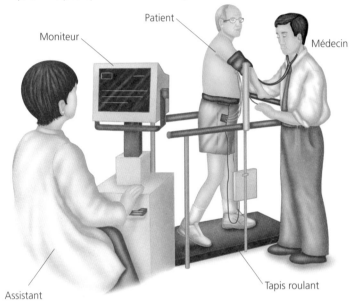

montrer des signes de modifications ischémiques, et elles sont aussi importantes.

La nécessité d'autres tests

Il s'agit des examens de routine nécessaires pour tous ceux qui souffrent d'hypertension. Vous devrez subir des examens plus approfondis, habituellement en clinique externe, seulement si votre hypertension est grave ou que votre médecin soupçonne une affection sous-jacente responsable de cet état.

C'est le cas de 2 ou 3 % des gens qui souffrent d'hypertension. Il s'agit de maladies du rein et de la surrénale. On vous référera probablement à un spécialiste de votre hôpital local. Un autre 3 ou 4 % des gens souffrent d'hypertension très grave. Ils doivent subir un examen approfondi et consulter un spécialiste en matière d'hypertension (hypertensiologue).

La grande majorité des gens qui souffrent d'hypertension ne fréquentent pas l'hôpital et ne le devraient d'ailleurs pas. Les soins de leur médecin suffisent. La proportion de patients référés à un établissement hospitalier varie beaucoup selon la disponibilité des services locaux, des hypertensiologues et de la politique de votre médecin à cet égard. Certains médecins réfèrent un grand nombre de leurs patients une fois ou deux à l'hôpital pour des examens approfondis, puis ils les suivent eux-mêmes, alors que d'autres réfèrent uniquement les cas très difficiles à un spécialiste.

Les établissement hospitaliers

Seule une minorité de gens devront consulter un hypertensiologue à l'hôpital. Comme je viens de l'expliquer, ces personnes souffrent en général d'hypertension associée à des complications comme une affection cardiaque ou rénale. Elles devront aussi consulter ce spécialiste si leur tension artérielle est difficile à contrôler, ou encore si leur médecin soupçonne une affection sous-jacente.

On peut supposer une affection sous-jacente si les analyses révèlent la présence de protéines dans l'urine ou si les analyses sanguines sont anormales, montrant des signes d'altération de la fonction rénale. En outre, un taux de potassium sanguin faible suggère un problème des glandes surrénales.

On vous référera aussi à un hôpital si votre tension artérielle varie beaucoup d'une minute à l'autre, d'une heure à l'autre ou même d'un jour à l'autre. C'est un cas très rare, le phéochromocytome, où une tumeur des surrénales cause une sécrétion intermittente de grandes quantités d'adrénaline et de noradrénaline.

Lorsque vous allez à l'hôpital, on peut vous faire subir de nouveau certaines analyses sanguines simplement pour confirmer les anomalies. Si on soupçonne le syndrome de Conn, où l'hypertension résulte d'un excès d'aldostérone, une hormone, le médecin de l'hôpital peut choisir de le mesurer dans votre sang.

L'échogramme des reins
Pour exclure toute forme d'affection rénale, on procède en général à un échogramme pour évaluer la taille et la forme des reins. Ce test est de plus en plus routinier pour les patients qui souffrent d'hypertension grave, car il est sécuritaire et ne cause aucun malaise. On peut aussi vous demander un échantillon d'urine de 24 heures pour mesurer l'excréta d'adrénaline et de noradrénaline par l'organisme en 24 heures (ne vous inquiétez pas, l'hôpital vous fournira les flacons). Des taux élevés peuvent indiquer la présence d'un phéochromocytome.

L'échocardiogramme
Le médecin de l'hôpital peut mesurer la taille de votre cœur au moyen d'un échocardiogramme, ce qui est une échographie du cœur.

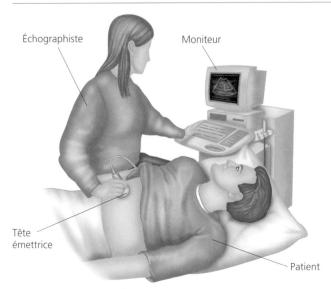

Échographiste

Moniteur

Tête
émettrice

Patient

Échogramme des reins

Personnaliser les traitements

Très souvent, on réfère les patients à l'hôpital parce que leur tension artérielle résiste au traitement. Le médecin de l'hôpital peut alors modifier la combinaison de médicaments pour mieux la contrôler.

Une fois votre tension artérielle sous contrôle, on vous donnera votre congé et vous serez à nouveau suivi par votre médecin. Vous ne retournerez à l'hôpital que si de nouveaux problèmes surgissent. Visitez votre médecin de famille tous les trois mois pour un examen de routine.

L'échocardiographie

Un instrument appelé « tête émettrice », qui produit un faisceau d'ultrasons, est maintenu contre le thorax. L'image du cœur est créée par le reflet des faisceaux d'ultrasons.

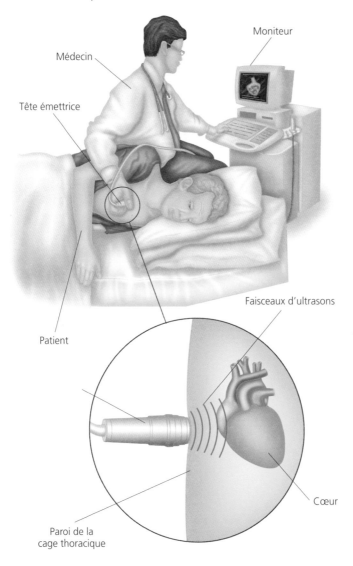

Moniteur

Médecin

Tête émettrice

Faisceaux d'ultrasons

Patient

Cœur

Paroi de la cage thoracique

POINTS CLÉS

■ Toutes les personnes qui ont reçu un diagnostic d'hypertension devraient se soumet-
tre à une analyse ponctuelle d'urine, une
seule analyse sanguine et un électrocardiogramme.

■ Seule une minorité de patients doivent être
dirigés vers un spécialiste ou subir un
examen approfondi.

Traitement sans médicaments

L'importance de l'alimentation et du style de vie

Ce traitement non pharmacologique de l'hypertension, comme on l'appelle, est efficace. En général, il s'agit de modifier votre alimentation et vos habitudes de vie, ce que vous pouvez faire avec les conseils de votre médecin. Bien que certains changements soient plus difficiles à faire que d'autres, l'effort en vaut la peine, car si vous réussissez, votre tension artérielle peut revenir à la normale sans l'aide de médicaments.

Réduire votre consommation de sel

Votre médecin vous conseillera certainement de réduire la quantité de sel que vous consommez. Au Royaume-Uni, la consommation moyenne de sel par jour est de 10 g chez les hommes, et chez les femmes, d'environ 6 ou 7 g. Néanmoins, beaucoup de personnes consomment environ la moitié de cette quantité et leur tension artérielle est moins élevée. On ajoute environ 1 g de sel par jour à nos aliments, sur la table ou pendant la cuisson.

Le reste provient surtout des aliments transformés, comme les hamburgers, les pâtés à la viande, les saucisses, les collations salées, les conserves (comme les légumes), les céréales et le pain.

Vous pouvez déjà réduire votre consommation en n'ajoutant jamais de sel à vos aliments lorsque vous cuisinez ou à table. Préférez les viandes, les fruits et les légumes frais, et ne mangez des aliments transformés qu'à l'occasion. Pour cuisiner, vous pouvez remplacer le sel par n'importe quelle herbe ou épice.

Apporter du changement

S'adapter à une alimentation faible en sel et la maintenir peut être difficile au départ, mais si vous persistez, vous préférerez vos aliments moins salés après un mois seulement.

Si vous revenez alors à vos anciennes habitudes, vous trouverez que vos aliments ont un goût trop salé et vous réaliserez que vous vous êtes « converti ».

Le même phénomène se produit chez les gens qui cessent d'ajouter de grandes quantités de sucre à leur thé ou à leur café. Souvent ils s'habituent à le boire sans sucre, si bien que même une infime quantité de sucre rend le goût si répugnant qu'ils préfèrent un verre d'eau. C'est donc la même chose lorsqu'on passe d'une alimentation riche en sel à un régime à faible teneur en sel.

Le sel et l'industrie alimentaire

De façon regrettable, l'industrie alimentaire a répondu plutôt tièdement au problème de sel ou de tension artérielle. Le sel a déjà été utilisé comme agent de conservation, mais avec la réfrigération et la technologie alimentaire moderne, il est possible de réduire la teneur en sel des aliments transformés.

Malheureusement, de nombreuses personnes sont maintenant « dépendantes » des aliments salés. Certains représentants de l'industrie alimentaire ont mené une propagande irresponsable en suggérant qu'il n'y a pas de relation entre le sel et la tension artérielle, et que tous les spécialistes ayant mené des recherches étaient dans l'erreur.

Les spécialistes ne préconisent pas nécessairement une réduction radicale de la consommation de sel. Ils proposent plutôt de la réduire à un niveau acceptable pour des gens qui préfèrent les aliments de bonne qualité, sans agents de conservation ou additifs.

Certains faits révèlent que la tension artérielle moins élevée chez les cadres et les dirigeants est liée au fait que leur consommation en sel est réduite et qu'ils sont rarement obèses.

Les substituts du sel

Les chimistes ont mis au point plusieurs substituts qui contiennent moins de chlorure de sodium et plus de chlorure de potassium. Bien que dans un monde idéal, personne ne devrait ajouter de cristaux de substances chimiques à la nourriture, si vous ne pouvez vraiment pas tolérer les aliments peu salés, vous pouvez consommer ces substituts, à condition que votre fonction rénale soit normale.

N'oubliez pas que le sel de mer, le gros sel et les sels « naturels » sont des sels distillés (chlorure de sodium) et qu'ils ne sont pas des substituts. Vous devez utiliser les substituts avec prudence si vous prenez un médicament d'épargne potassique diurétique comme la spironolactone, l'amiloride, les inhibiteurs de l'enzyme de conversion de l'angiotensine (IECA) ou les bloqueurs

des récepteurs de l'angiotensine si vos reins fonctionnent mal.

Il se peut que votre kaliémie soit déjà élevée. En cas
de doute, consultez votre médecin.

Aux États-Unis, des recherches récentes fiables ont
clairement démontré que la réduction des graisses animales dans le régime alimentaire et l'augmentation de
l'apport en potassium sous forme de fruits et légumes
peuvent causer une chute de la tension artérielle
encore plus marquée si l'apport en sel est restreint. Il a
aussi été démontré que le fait d'augmenter l'apport en
huiles de poisson sous forme de saumon et de maque-
reau est bénéfique.

Le contrôle du poids

Comme nous l'avons vu plus tôt, pour chaque kilogramme (2 lbs) que vous perdez, votre tension artérielle
chutera d'environ 1 mm de mercure. Par conséquent, si
elle est légèrement élevée, autour de 165/95 mm Hg,
elle peut revenir à la normale si vous perdez environ 6 kg
(14 lb). Des essais cliniques fiables ont prouvé que la
perte de poids réduisait la tension. Cependant, ce n'est
pas chose facile sans conseils avisés et une solide moti-
vation. De plus, votre régime doit tenir compte de l'apport réduit en sel.

La recherche indique que, en cas d'excédent de poids,
vous en perdrez probablement plus si vous consultez
une diététicienne que si votre médecin vous dit simplement de perdre du poids. Vous avez aussi de meilleures
chances de parvenir à votre poids idéal si vous faites
plus d'exercice et si vous réduisez votre consommation
d'alcool, au besoin.

Presque toutes les autorités médicales de toutes les spécialités conviennent que nous devrions adopter un « régime prudent » qui comprend :

- moins de sel;
- moins de graisses animales;
- plus de poisson;
- plus de fruits et légumes.

Ce régime est associé à la protection contre de nombreuses maladies, notamment le cancer.

La consommation modérée d'alcool

Certaines études démontrent qu'une consommation modérée d'alcool réduit votre tension artérielle. Ainsi, rassurez-vous, vous n'aurez pas à abandonner tout alcool. Les Royal Colleges of Physicians, Psychiatrists and General Practitioners du Royaume-Uni recommandent une consommation maximale de 21 unités d'alcool par semaine pour les hommes et de 14 unités pour les femmes. Une unité est l'équivalent d'une demi-chopine de bière ou un petit verre de vin. Évitez donc les cuites d'un soir, car elles peuvent provoquer un AVC.

Il est possible qu'un ou deux verres par jour soient associés à une réduction des risques de cardiopathie. Cela dit, boire plus de quatre verres par jour semble associé à un risque accru d'hypertension et d'AVC, et à des lésions au foie et au système nerveux. Cela peut également nuire à la qualité de vie.

Faire de l'exercice

Les recherches ont démontré un lien clair entre l'exercice et une chute de la tension artérielle. Les mécanismes ne sont pas entièrement connus et peuvent en partie être liés aux modifications du régime alimentaire que les gens font souvent en même temps qu'ils commencent à faire de l'exercice régulièrement. Si vous souffrez d'hypertension, vous devez faire preuve de bon sens en choisissant un programme d'exercices. Par exemple, un homme d'âge moyen souffrant d'hypertension grave qui n'a jamais fait d'exercice aurait tort d'entreprendre un exercice vigoureux qui l'épuiserait. Il serait beaucoup plus sage d'y aller progressivement.

Commencez par emprunter les escaliers plutôt que l'ascenseur ou l'escalier mécanique lorsque vous devez grimper deux ou trois étages; essayez d'utiliser un parc de stationnement ou un arrêt d'autobus un peu plus éloigné de votre destination en vous rendant au travail ou en faisant des emplettes. Toute forme de sport convient, si vous ne vous épuisez pas, mais vous devez faire suffisamment d'efforts, de sorte que votre pouls augmente légèrement et que vous transpiriez un peu.

Les suppléments de potassium

Bien que l'on constate qu'une augmentation de l'apport en potassium dans votre alimentation réduise votre tension artérielle, vous ne devriez pas prendre de suppléments sous forme de sels de potassium ou de comprimés. Mangez simplement plus de fruits et légumes tout en réduisant votre consommation de sel provenant des aliments transformés.

Le counselling concernant le stress

Comme nous l'avons déjà vu, il existe peu de preuves solides permettant d'affirmer que le stress chronique entraîne l'hypertension. Toutefois, de nombreuses personnes souffrant d'hypertension sont très stressées pour une multitude de raisons : problèmes personnels, inquiétudes au travail ou sans raison particulière.

Si cette situation s'applique à vous, le counselling, et dans les cas extrêmes, un traitement psychiatrique, peut aider à réduire votre stress, et votre tension artérielle peut diminuer en même temps. Autrement, il n'y a aucune raison de croire que la plupart des gens souffrant d'hypertension tireront profit du counselling, des thérapies de relaxation, du yoga, de la technique de biofeedback ou d'autres techniques connexes.

Vous réaliserez peut-être qu'à la suite du counselling, vous parvenez mieux à vous détendre lorsque vous consultez votre médecin, mais ce genre de traitement ne semble pas affecter vos mesures de tension effectuées à la maison à l'aide de tensiomètres électroniques.

Ce domaine est controversé, mais selon l'opinion actuelle, le rôle du counselling et de ces traitements dans la gestion de l'hypertension a été plutôt surestimé jusqu'à maintenant.

Les thérapies complémentaires

Un grand nombre de produits présumés « naturels » ont été mis à l'essai dans la gestion de l'hypertension.

Deux études d'envergure et très fiables ont montré que les vitamines antioxydantes n'ont aucun effet sur la tension artérielle ou les risques cardiovasculaires, et elles ne sont certainement pas recommandées.

Récemment, on a démontré qu'un produit semblable au yogourt contenant du lait sûr a un effet minime sur la tension artérielle. Toutefois, pour obtenir un effet à long terme, vous devez consommer deux contenants de ce yogourt tous les jours pendant 20 à 30 ans. Ce régime n'est donc pas recommandé.

Certains faits révèlent que l'ail peut avoir un léger effet sur la tension. La plus grande part d'ail que nous consommons se trouve dans les aliments de plus haute qualité, et il est possible que les bienfaits proviennent en fait de tout le contenu de ces aliments. Cela dit, il est vrai que l'ail n'est pas nocif.

POINTS CLÉS

- En apportant de simples modifications à votre alimentation et à votre style de vie, vous pouvez réduire votre tension artérielle sans avoir à prendre de médicaments.

- Certaines études permettent d'affirmer qu'en réduisant votre consommation de sel, vous réduirez votre tension.

- Si vous souffrez d'un excédent de poids, suivre un régime peut réduire votre tension.

- Les recherches ont démontré le lien entre la pratique régulière d'un exercice et une chute de la tension artérielle.

Traitement avec médicaments

Le développement d'un traitement médicamenteux

Jusque vers les années 1950, les médecins ne pouvaient presque rien pour réduire la tension artérielle. Les gens qui souffraient d'hypertension grave avaient des AVC ou une insuffisance cardiaque et rénale, et les médecins n'y pouvaient rien.

Vers la fin des années 1950 et au début des années 1960, les antihypertenseurs réduisant la tension sont apparus sur le marché et ont sauvé des vies. Un grand nombre de ces médicaments, qui ne sont plus utilisés de nos jours, avaient des effets secondaires graves; on les utilisait uniquement pour les patients dont la condition était médiocre.

Au cours des années 1970, on a développé des médicaments ayant des effets secondaires moins graves et qui pouvaient être prescrits aux gens souffrant d'hypertension moins gravement et dont les risques d'avoir un accident cardiovasculaire étaient moindres.

Un grand nombre d'essais de qualité ont été effectués avec des placebos. Tous ces essais ont cessé dès qu'on a pu prouver que la fréquence des crises cardiaques et des AVC était réduite chez les participants qui recevaient le médicament.

En réunissant les résultats de tous ces essais, nous savons maintenant qu'un traitement à l'aide d'hypotenseurs pour tous les degrés d'hypertension réduit les AVC d'environ 35 à 40 % et les coronaropathies de 20 à 25 %.

Bien sûr, les gens qui souffrent d'hypertension peuvent faire une crise cardiaque en raison d'autres facteurs comme le tabagisme ou un niveau de cholestérol élevé. Par contre, on peut éviter les complications de l'hypertension en contrôlant la tension artérielle.

Le développement des hypotenseurs ayant des effets secondaires minimes et leurs énormes bienfaits dans la prévention des crises cardiaques et des AVC a été l'un des progrès les plus importants de la médecine depuis la Deuxième Guerre mondiale. Il est au moins comparable à la révolution des antibiotiques efficaces.

On a démontré que les antihypertenseurs contribuent à réduire ou à prévenir les lésions rénales chez les diabétiques souffrant ou non d'hypertension et, plus récemment, les lésions rétiniennes.

En outre, le traitement à l'aide de certains hypotenseurs peut réduire les risques d'une nouvelle crise cardiaque ou d'insuffisance cardiaque.

En 1997, la publication d'une étude européenne importante sur le traitement de l'hypertension systolique marque la fin d'une époque, ne laissant aucune place au doute : toute personne qui souffre d'hypertension ne devrait jamais abandonner le traitement pendant plus de quelques semaines.

Le traitement des personnes âgées

Toute personne dont la tension artérielle est toujours supérieure à 160/100 mm Hg doit prendre des antihypertenseurs, peu importe son âge. Reste à savoir si les personnes de 80 ans et plus tirent des bénéfices d'un tel traitement. Dans leur cas, il est possible que le seuil soit légèrement plus élevé, soit de 160/100 mm Hg. On en saura plus dans l'avenir, mais les données actuelles laissent croire que les hypotenseurs chez ces personnes réduisent les risques d'AVC et d'insuffisance cardiaque de façon importante. Néanmoins, il n'existe pas de preuves voulant que ces médicaments réduisent la mortalité, toutes causes confondues. Les recherches se poursuivent, dans ce domaine.

Les hypotenseurs sont particulièrement efficaces chez les gens de 60 à 80 ans qui, sans médicaments, sont à risque élevé de faire un AVC. Les personnes âgées s'en inquiètent souvent, mais elles peuvent être rassurées avec les médicaments, ce qui constitue une excellente raison de continuer à prendre les comprimés selon la prescription.

Contrôler la tension artérielle

Tous les hypertenseurs ont à peu près la même efficacité. Ils provoquent une chute de tension systolique d'environ 10 à 15 mm Hg et de la tension diastolique de 6 ou 8 mm Hg. Les gens répondent au traitement de façons différentes; les personnes âgées répondent mieux à certains médicaments, tout comme les personnes d'origine afro-antillaise.

Il vaut la peine de se rappeler qu'on peut réduire notre pression à peu près autant qu'avec un hypertenseur en restreignant rigoureusement sa consommation de sel, en perdant du poids et en ne buvant de l'alcool que modérément.

Si vous suivez un traitement médicamenteux, vous devez vous rappelez que les effets de certains médicaments sont plus grands si vous réduisez votre consommation de sel tout en les prenant. Vous devez donc faire les efforts nécessaires pour réduire votre apport en sel.

Utiliser plusieurs médicaments

Un comprimé par jour suffira à contrôler la tension artérielle pour environ un quart des gens qui suivent un traitement médicamenteux. La plupart des autres doivent prendre 2 médicaments et environ 25 % des gens ont besoin de 3 médicaments pour contrôler leur tension.

Heureusement, même si vous devez prendre trois médicaments, vous n'aurez qu'à prendre trois comprimés. Presque tous peuvent être pris en même temps, le matin ou le soir. Les médicaments plus anciens qu'on devait prendre deux ou trois fois par jour sont maintenant considérés comme désuets. C'est une bonne nouvelle, car plus vous devez prendre vos comprimés souvent plus vous risquez de les oublier.

La tension artérielle difficile à contrôler

Si vous faites partie de la minorité chez qui la tension est très difficile à contrôler, vous devrez probablement consulter un spécialiste. Il est très rare que la tension soit presque impossible à contrôler, et cela s'explique probablement par le fait que les gens ont laissé progresser la maladie trop longtemps avant de prendre des médicaments. Les changements structuraux des petites artérioles étant très avancés, les médicaments fonctionnent moins bien. Cependant, même dans cette situation, réduire la tension diminue les risques d'AVC et de crise cardiaque.

Toutefois, il faut souligner que chez la plupart des gens qui souffrent d'hypertension, la tension n'est que légèrement élevée, et donc relativement facile à contrôler. Si vous êtes dans cette catégorie, les soins du médecin de famille suffisent.

Un traitement à long terme

De nombreuses personnes croient à tort qu'elles devront suivre un traitement médicamenteux à court terme pour réduire leur tension, un peu comme pour les antibiotiques, et qu'elles n'auront plus à y penser. Cette fausse conception est très dangereuse, et si vous cessez de prendre vos comprimés, vos risques de subir une crise cardiaque ou un AVC seront considérablement accrus.

Sauf si vous faites partie des très rares exceptions pour qui il est possible d'arrêter la médication, vous devrez prendre des antihypertenseurs pendant le reste de votre vie. À mesure que vous vieillissez, les risques d'AVC augmentent et le bienfait du traitement est d'autant plus important. Si vous cessez de prendre les médicaments et que votre tension demeure stable, vous devez vous demander si vous avez bien déjà souffert d'hypertension ou si le traitement était basé sur une seule mesure de tension élevée, alors que vous étiez sous l'effet d'un stress, dans un milieu étranger. En réalité, il y a peu de chances pour qu'une personne souffrant réellement d'hypertension puisse cesser de prendre des médicaments.

Changer votre style de vie

Si votre hypertension était légère au départ et qu'un seul comprimé suffisait à la contrôler, que vous adoptez une alimentation faible en sel et en graisses, que vous consommez au moins cinq portions de légumes ou de fruits par jour, que vous arrivez à perdre du poids, à réduire votre consommation d'alcool et à faire davantage d'exercice, vous pourrez peut-être abandonner le traitement.

Malgré tout cela, environ la moitié des gens qui parviennent à réduire leur tension de cette façon devront reprendre des médicaments à un certain moment. Si votre médecin est d'accord pour que vous cessiez le traitement, il ou elle devra vous suivre régulièrement, d'abord tous les mois, puis aux trois mois. Il est fort probable que votre tension remontera et que vous devrez prendre des comprimés de nouveau.

Toute personne qui doit prendre deux médicaments pour contrôler sa tension ne pourra fort probablement jamais cesser le traitement. Certains faits révèlent que si votre tension est difficile à contrôler au départ, et que vous devez prendre trois ou quatre médicaments pour y parvenir, il est fort possible qu'avec les années, elle devienne plus facile à contrôler et que vous puissiez réduire le nombre de médicaments.

Cesser le traitement

Comme beaucoup de personnes à qui on a prescrit des antihypertenseurs, vous serez tenté de cesser de les prendre ou vous cesserez sans consulter votre médecin. Il est très facile de vous convaincre que vous n'en avez plus besoin parce que vous ne ressentez plus de symptômes. Ce faisant, vous risquez de vous retrouver à l'urgence d'un hôpital, parce que vous aurez l'une des complications de l'hypertension, comme un AVC ou une crise cardiaque.

Vous pourriez aussi avoir à retourner chez votre médecin parce que votre tension est très difficile à contrôler, et vous devrez prendre trois, quatre ou même cinq médicaments pour y parvenir. Pour éviter ces tracas, poursuivez le traitement prescrit et passez un examen médical régulièrement.

Surveiller votre état et votre traitement

Une fois que votre médecin a évalué votre hypertension et qu'elle est contrôlée par un traitement, vous devrez probablement faire vérifier votre tension quatre fois par année. Il est important de subir ces examens pour vous assurer que votre tension est bien contrôlée et, de plus en plus, vous verrez une infirmière spécialement formée plutôt que le médecin.

De temps à autre, vous pourrez subir d'autres tests, en plus de la mesure de la tension, comme des analyses sanguines en vue de vérifier votre fonction rénale ou, à l'occasion, un ECG. Vos taux sériques de cholestérol doivent aussi être surveillés, car un taux élevé de cholestérol, tout comme une tension élevée, est un facteur de risque important de crise cardiaque. Un traitement visant à réduire le cholestérol sauve lui aussi des vies.

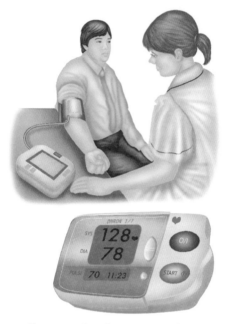

La surveillance régulière de votre état et l'examen de votre traitement assureront que votre tension est contrôlée de la meilleure façon possible.

Les antihypertenseurs

Il existe maintenant un vaste choix d'antihypertenseurs, ce qui signifie que votre médecin peut vous prescrire un traitement qui convient à vos besoins. Il est important que vous connaissiez les noms des médicaments que vous prenez, leur mode d'action et leurs effets secondaires possibles. Avec l'amélioration des médicaments, il est de plus en plus possible de minimiser ces effets, ou même de les éviter.

La prochaine section de ce livre décrit les médicaments actuellement sur le marché. Vous devez vous rappeler qu'il existe en général de nombreux médicaments

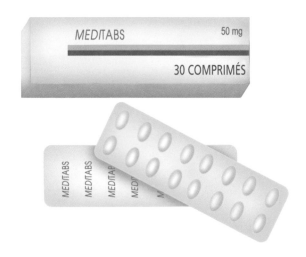

différents dans chacune des classes décrites ici, et qu'il y a de légères variations entre eux.

Il peut être difficile de s'y retrouver, car tous les médicaments portent deux noms. Le nom le plus évident sur la boîte est la propriété pharmaceutique ou le nom commercial (par exemple, Istin, Zestril, Cozaar), mais cela peut varier si plusieurs entreprises pharmaceutiques commercialisent le même médicament. Le nom en petits caractères est le nom générique ou chimique (par exemple, amlodipine, lisinopril, losartan), il donne une idée de la classe à laquelle le médicament appartient.

Il est préférable d'utiliser le nom générique, même s'il semble parfois un peu long.

Les diurétiques thiazidiques

Ces médicaments ouvrent les vaisseaux sanguins, ce qui entraîne une chute de tension artérielle, et aident les reins à éliminer le sel et l'eau dans l'urine, ce qui

Diurétiques thiazidiques

- Bendroflumethiazide
- Cyclopenthiazide
- Hydrochlorothiazide
- Hydroflumethiazide
- Polythiazide

réduit légèrement le volume du sang qui circule et la pression exercée sur le système.

Ce groupe de médicaments a été introduit sur le marché dans les années 1950 et il demeure le soutien principal du traitement de l'hypertension, surtout chez les personnes plus âgées. Par contre, ils ont aussi tendance à relaxer les artérioles, les vaisseaux sanguins moyens, ce qui explique en partie pourquoi ils diminuent la tension.

Au départ, ces diurétiques étaient prescrits à fortes doses. Or, il est devenu évident qu'il est préférable de prendre la plus petite quantité possible pour obtenir l'effet désiré. Les doses plus élevées ne réduisent pas davantage la tension, mais elles augmentent le risque d'effets secondaires comme le déclenchement de la goutte ou du diabète. À fortes doses, ces diurétiques réduisent le taux de potassium sanguin et augmentent la quantité de cholestérol ou de lipides, mais depuis qu'on les prescrit à faibles doses, ces problèmes sont beaucoup moins fréquents.

Des études ont montré que chez les hommes sexuellement actifs, de fortes doses de ce médicament étaient associées à l'impuissance. Encore une fois, ce problème est beaucoup moins courant avec les faibles doses prescrites aujourd'hui. Malgré cela, on évite en général de leur prescrire ces médicaments.

Les nombreux avantages de la réduction de la tension rapportés par les différents essais aléatoires contrôlés décrits plus tôt proviennent de ces médicaments. Ils sont plus efficaces chez les personnes âgées et chez les personnes d'origine afro-antillaise, et n'ont chez elles pratiquement aucun effet secondaire. Prescrits à faibles doses, ils modifient à peine la chimie du sang.

Certains comprimés contiennent une petite quantité de chlorure de potassium en vue de prévenir la diminution des taux de potassium sériques. En fait, cette quantité est tellement minime que ces préparations ne sont plus recommandées. À faibles doses, les diurétiques thiazidiques n'entraînent pas de chute importante du potassium, mais si cela se produit, on doit vous prescrire des médicaments de classe différente.

Une étude longitudinale d'envergure, dont les résultats ont été publiés en décembre 2002 aux États-Unis, a démontré que les diurétiques thiazidiques étaient aussi efficaces dans la prévention des complications vasculaires de l'hypertension, et même meilleurs que d'autres catégories de médicaments.

Les inhibiteurs des canaux calciques

Ces médicaments agissent en bloquant l'action du calcium dans le muscle lisse de la paroi des artérioles. On croit que la constriction du muscle lisse, causée en partie par le calcium, rétrécit ces vaisseaux sanguins, ce qui entraîne l'hypertension. Le blocage de l'action du calcium ouvre donc les vaisseaux sanguins, ce qui entraîne une chute de tension.

Le problème est que toutes les artérioles s'ouvrent, y compris celles du cerveau, ce qui peut causer des maux de tête, celles du visage, ce qui peut causer des bouffées vasomotrices, et celles des jambes, ce qui peut

Le mode d'action des diurétiques thiazidiques

Cette classe de médicaments ouvre les vaisseaux sanguins, créant plus d'espace pour un volume de sang donné. Ainsi, la pression exercée dans le système diminue. Ces médicaments forcent les reins à excréter l'eau et le sel, ce qui réduit le volume de sang dans la circulation et, par conséquent, la tension artérielle.

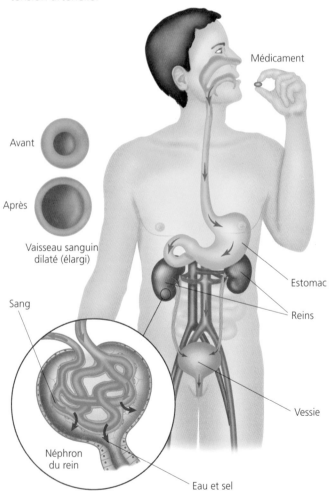

Médicament

Avant

Après

Vaisseau sanguin
dilaté (élargi)

Sang

Estomac

Reins

Vessie

Néphron
du rein

Eau et sel

Inhibiteurs des canaux calciques

- Amlodipine
- Diltiazem
- Félodipine
- Isradipine
- Lacidipine
- Lercanidipine
- Nicardipine
- Nifédipine
- Nisoldipine
- Vérapamil

causer une enflure des chevilles. Les préparations à action prolongée plus récentes produisent beaucoup moins d'effets secondaires de ce genre. On prescrit maintenant la nifédipine dans ces préparations et, bien que l'amlodipine et la licidipine causent peu de problèmes, de fortes doses peuvent provoquer une enflure des chevilles. Elle n'est pas causée par une insuffisance cardiaque et n'est pas catastrophique, mais elle est insupportable pour certaines femmes. Un autre inhibiteur calcique, le verapamil, peut entraîner la constipation et être dangereux dans certaines formes de maladies cardiaques.

Les craintes à propos de l'inocuité de ces médicaments ont été apaisées à la suite de la publication en 1997 des résultats d'une étude d'envergure montrant que ces médicaments préviennent les AVC et les crises cardiaques, et ne sont pas vraiment associés à des problèmes. Ils sont particulièrement efficaces chez les personnes âgées et les personnes d'origine afro-antillaise.

Le mode d'action des inhibiteurs des canaux calciques

Lorsque le calcium entre dans les cellules musculaires, celles-ci se contractent. Les inhibiteurs des canaux calciques restreignent la quantité de calcium qui entre dans les cellules et empêchent ainsi la contraction des muscles qui tapissent les parois des vaisseaux sanguins. Par conséquent, les vaisseaux se dilatent (s'ouvrent), réduisant la tension.

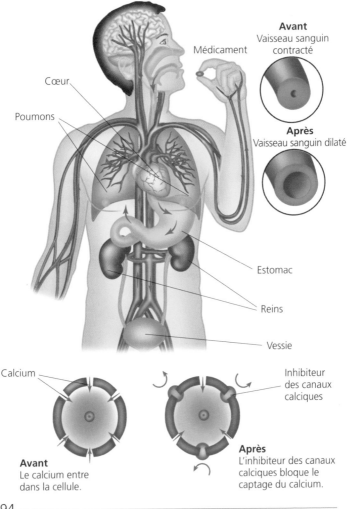

Médicament

Avant
Vaisseau sanguin contracté

Cœur

Après
Vaisseau sanguin dilaté

Poumons

Estomac

Reins

Vessie

Calcium

Inhibiteur des canaux calciques

Avant
Le calcium entre dans la cellule.

Après
L'inhibiteur des canaux calciques bloque le captage du calcium.

Les inhibiteurs de l'enzyme de conversion de l'angiotensine (IECA)

Ces médicaments agissent en empêchant l'activation d'une hormone, l'angiotensine II, à partir de ses précurseurs, la rénine et l'angiotensine I, par l'enzyme de conversion de l'angiotensine. Lorsque l'angiotensine II contracte les vaisseaux sanguins, les inhibiteurs de l'ECA ouvrent les vaisseaux sanguins, ce qui entraîne une chute de tension.

Cette catégorie de médicaments représente une percée importante dans la gestion de l'hypertension. Non seulement ces médicaments réduisent la tension, mais ils protègent les reins des personnes qui souffrent de diabète et d'hypertension. Plus récemment, il a été démontré qu'ils retardaient l'apparition des lésions rétiniennes qui peuvent détériorer la vision des diabétiques. On les prescrit aussi à des gens qui récupèrent d'une crise cardiaque.

Les IECA sont remarquablement sécuritaires, mais si vous prenez déjà des diurétiques, vous devez être suivi de près par votre médecin lorsque vous commencez à les prendre, parce que la première dose peut causer une chute soudaine de tension.

Inhibiteurs de l'ECA

• Captopril	• Imidapril	• Quinapril
• Cilazapril	• Lisinopril	• Ramipril
• Énalapril	• Moexipril	• Trandolapril
• Fosinopril	• Perindopril	

Le mode d'action des inhibiteurs de l'ECA

Ils bloquent l'activation de l'hormone angiotensine II par les inhibiteurs de l'enzyme de conversion de l'angiotensine (ECA). L'angiotensine II joue un rôle dans la constriction des vaisseaux sanguins. Par conséquent, les inhibiteurs de l'ECA ouvrent les vaisseaux sanguins, ce qui réduit la tension.

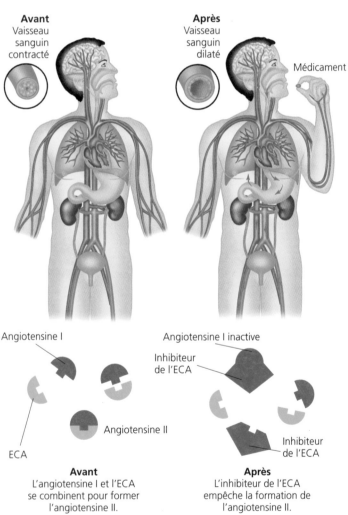

Avant
Vaisseau sanguin contracté

Après
Vaisseau sanguin dilaté

Médicament

Angiotensine I

Angiotensine I inactive

Inhibiteur de l'ECA

Angiotensine II

Inhibiteur de l'ECA

ECA

Avant
L'angiotensine I et l'ECA se combinent pour former l'angiotensine II.

Après
L'inhibiteur de l'ECA empêche la formation de l'angiotensine II.

Cet effet est moins fréquent avec les inhibiteurs de l'ECA plus récents, mais il se peut qu'on vous conseille de cesser les diurétiques pendant une journée ou deux avant de commencer le traitement avec un IECA. Les inhibiteurs de l'ECA sont aussi très efficaces dans le traitement de l'insuffisance cardiaque congestive, que la tension artérielle soit élevée ou non.

Environ une personne d'origine afro-antillaise sur 1 000 et une personne blanche sur 4 000 éprouvent une réaction allergique aiguë à ce genre de médicament. Leur langue et leurs lèvres enflent et leurs voies aériennes supérieures se contractent. Cet effet est rare, mais il n'est pas toujours reconnu pour ce qu'il est.

L'autre effet secondaire important de cette catégorie de médicaments est une toux sèche irritante chez environ 10 % des hommes et 20 % des femmes. Cette toux n'est pas catastrophique et cause peu d'inconfort, mais votre partenaire peut se plaindre qu'elle le tient éveillé la nuit.

Les inhibiteurs de l'ECA n'ont pas d'effets indésirables sur la fonction mentale, car ils ne pénètrent pas dans le cerveau, contrairement aux bêtabloquants, et ils conviennent très bien à la plupart des gens. Tel n'est pas le cas pour les personnes d'origine afro-antillaise et les personnes âgées, qui peuvent devoir prendre un diurétique thiazidique ou un inhibiteur des canaux calciques en même temps.

Les bloqueurs des récepteurs de l'angiotensine

Leur mode d'action est semblable à celui des inhibiteurs de l'ECA. Au lieu de bloquer l'activation de l'angiotensine II, ils bloquent les récepteurs de l'angiotensine II. Pour cette raison, ils ont un effet plus précis sur la

Bloqueurs des récepteurs de l'angiotensine

- Candésartan
- Éprosartan
- Irbésartan
- Losartan
- Olmesartan
- Telmisartan
- Valsartan

tension artérielle et ne causent aucun effet secondaire gênant, comme la toux.

Cette nouvelle catégorie de médicaments a été mise en marché en 1995 et est rapidement devenue populaire. Les produits semblent avoir moins d'effets secondaires que toutes les autres catégories de médicaments. Certaines études ont même révélé que les bloqueurs des récepteurs de l'angiotensine ont moins d'effets secondaires que les placébos. Ils réduisent la tension artérielle efficacement et sont remarquablement sécuritaires.

Des études à long terme ont été réalisées sur l'utilisation de ces médicaments chez les personnes à haut risque d'hypertension et les patients qui souffrent de diabète et qui montrent des signes de lésions rénales. Ces essais ont démontré que les bloqueurs des récepteurs de l'angiotensine retardent l'évolution des lésions rénales chez les diabétiques. On ne sait pas avec certitude s'ils sont plus efficaces que les inhibiteurs de l'ECA à cet égard. On a simplement constaté leur avantage chez les diabétiques dont la tension artérielle était normale ou élevée, bien que tous les participants aux essais souffraient de complication rénale.

En 2002, on a publié un essai comparant le losartan (bloqueur des récepteurs de l'angiotensine) et l'aténolol (bêtabloquant). Le losartan était associé à 25 % moins de cas d'apparition du diabète et 25 % de moins d'AVC. Tel que mentionné auparavant, on ignore s'il s'agit

Bêtabloquants

- Acébutolol
- Aténolol
- Bisoprolol
- Carvédilol
- Céliprolol
- Labétalol
- Métoprolol
- Nébivolol
- Oxprénolol
- Pindolol
- Propanolol

d'un avantage du losartan ou d'un effet indésirable de l'aténolol.

Les bêtabloquants

Ils bloquent l'action de la noradrénaline qui, avec l'adrénaline, prépare l'organisme aux situations d'urgence, les réactions de lutte ou de fuite.

Ces substances chimiques puissantes ouvrent certains vaisseaux sanguins et en rétrécissent d'autres, contrôlant le flux sanguin aux organes vitaux comme le cœur et l'accélérant. Il propulse le sang avec plus de force et, en conséquence, la tension artérielle augmente. Les bêtabloquants contrent ces effets :

- ils ralentissent le cœur;

- réduisent la force de ses contractions;

- réduisent la tension artérielle.

Ces médicaments agissent en bloquant la libération de rénine par les reins, ce qui réduit le taux de l'hormone angiotensine dans le sang, qui agit aussi en contractant les vaisseaux sanguins. Toutefois, ils rétrécissent aussi les voies respiratoires dans les poumons et sont contre-indiqués si vous souffrez d'asthme. Comme ils réduisent la force des contractions du cœur, ils ne conviennent pas non plus si votre cœur pompe le sang avec difficulté, lorsque vous souffrez d'insuffisance cardiaque non contrôlée, par exemple.

Les bêtabloquants ont été introduits dans les années 1960 et les gens les trouvent plus faciles à prendre que bon nombre des médicaments disponibles jusque-là. Ils ont été le traitement de base jusque dans les années 1990, où on les utilisait de moins en moins.

Certaines personnes les tolèrent bien et n'éprouvent aucun effet secondaire, mais à long terme, ils peuvent subtilement réduire votre capacité à faire de l'exercice et réduire légèrement votre niveau d'énergie, car votre cœur pompe le sang avec moins de vigueur et plus lentement.

En outre, comme ils réduisent le débit cardiaque, vous pouvez avoir les mains et les pieds froids. Le propanolol, par exemple, peut pénétrer dans le cerveau et causer des rêves d'apparence réelle et des troubles du sommeil. Ces effets sont grandement atténués avec les médicaments modernes de cette catégorie, pris à moins fortes doses.

Si vous êtes d'origine afro-antillaise ou une personne âgée, il est possible que cette catégorie de médicaments ne vous convienne pas et que l'on vous prescrive autre chose.

Les études comparatives

Une étude d'envergure internationale publiée en 2002 a comparé l'aténolol au losartan, un antagoniste des récepteurs de l'angiotensine. Dans cette étude, le losartan était associé à 25 % moins d'AVC et 25 % moins de cas de diabète d'apparition récente. On ignore toutefois s'il s'agit d'un effet bénéfique du losartan ou d'un effet indésirable de l'aténolol. Néanmoins, l'étude aura

Le mode d'action des bêtabloquants

Les bêtabloquants empêchent la noradrénaline de se lier aux récepteurs adrénergiques situés sur le cœur, ce qui le ralentit et réduit la force de ses contractions, et, en conséquence, la tension artérielle.

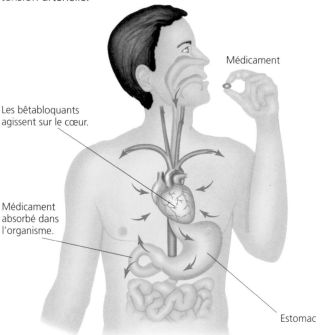

Médicament

Les bêtabloquants agissent sur le cœur.

Médicament absorbé dans l'organisme.

Estomac

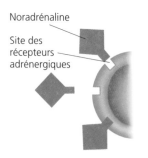

Noradrénaline

Site des récepteurs adrénergiques

Cellules musculaires du cœur

Bêtabloquants

Avant
La noradrénaline se lie librement aux récepteurs situés dans les cellules musculaires du cœur.

Après
Les bêtabloquants empêchent la noradrénaline de se lier aux cellules musculaires du cœur.

sans doute pour effet de réduire l'utilisation des bêta-bloquants.

Une analyse générale de toutes les études sur le traitement aux bêtabloquants comparés aux autres médicaments a été publiée en 2005. Elle a démontré que les bêtabloquants n'étaient pas plus efficaces que les autres médicaments dans la prévention des crises cardiaques et qu'ils n'étaient que légèrement moins efficaces dans la prévention des AVC.

L'Anglo Scandinavian Cardiac Outcome Trial a été publié la même année, comparant un traitement à l'aténolol (bêtabloquant) à un traitement à l'amlopidine (inhibiteur des canaux calciques). Les patients traités à l'aténolol ont développé plus d'AVC et de diabète que les patients traités à l'amlopidine.

Les bêtabloquants sont efficaces dans le traitement de l'angine de poitrine (douleur thoracique d'effort), de l'insuffisance cardiaque stable et chez les patients qui ont eu une crise cardiaque. De nombreux cliniciens sont d'avis que les bêtabloquants conviennent seulement aux patients qui souffrent de ces problèmes et de l'hypertension. Ils sont parfois efficaces chez les patients très anxieux qui souffrent de migraines intenses.

Les alphabloquants

Les alphabloquants agissent en bloquant l'action de l'adrénaline sur les muscles des parois des vaisseaux sanguins. L'adrénaline provoque la contraction des vaisseaux et augmente la tension artérielle. En bloquant les récepteurs de l'adrénaline, les vaisseaux se détendent et la tension chute. En conséquence, les alphabloquants peuvent aussi causer des étourdissements, surtout quand vous vous levez d'un coup, mais ils ont peu d'effets secondaires.

Alphabloquants

- Doxazosine
- Indoramine
- Phentolamine
- Prazosine
- Térazosine

Les premiers alphabloquants devaient être administrés trois fois par jour et causaient des étourdissements, de la faiblesse et la sécheresse de la bouche. Plus récemment, on a introduit deux alphabloquants à une seule dose quotidienne : la doxazocine et la térazosine. Ils sont sécuritaires, mais ils peuvent causer des étourdissements chez certaines personnes. Les alphabloquants réduisent la tension tout en agissant sur d'autres parties de l'organisme. Ils détendent la vessie et facilitent le passage de l'urine chez les hommes âgés dont la prostate est hypertrophiée.

Les alphabloquants ont été associés à une légère amélioration de la fonction sexuelle chez certains hommes. Pour cette raison, les alphabloquants sont parfois prescrits comme traitement de première intention chez les hommes qui souffrent de dysfonctionnement érectile et qui ont de la difficulté à obtenir ou à maintenir une érection. Chez les femmes, ils peuvent causer l'incontinence à l'effort ou la perte de contrôle de la vessie.

Au cours de l'année 2000, une étude américaine de grande envergure a révélé que la chlortalidone, un diurétique thiazidique était plus efficace que la doxazocine (alphabloquant) dans le contrôle de l'insuffisance cardiaque. Cette étude est un peu controversée et certaines autorités n'acceptent pas ces conclusions. Néanmoins, selon l'opinion générale, on doit prescrire

Le mode d'action des alphabloquants

Ils empêchent l'adrénaline de se lier aux récepteurs alpha-adrénergiques dans les muscles qui constituent les parois des vaisseaux sanguins. Les vaisseaux se dilatent et la tension artérielle diminue.

Avant
Les vaisseaux sanguins se contractent.

Après
Les vaisseaux sanguins se dilatent.

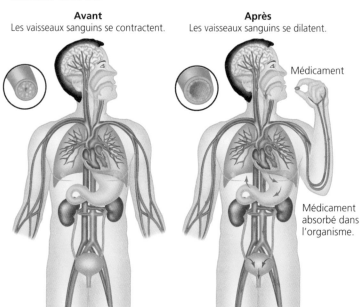

Médicament

Médicament absorbé dans l'organisme.

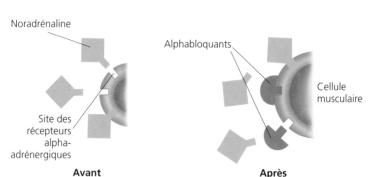

Noradrénaline

Alphabloquants

Cellule musculaire

Site des récepteurs alpha-adrénergiques

Avant
La noradrénaline se lie librement aux récepteurs des cellules musculaires des parois des vaisseaux sanguins.

Après
Les alphabloquants empêchent la noradrénaline de se lier aux cellules musculaires qui tapissent les vaisseaux sanguins.

les alphabloquants aux patients qui souffrent d'hypertension plus grave et résistante, en plus des autres médicaments.

Les médicaments qui agissent sur le système nerveux

Ils agissent sur la partie du cerveau qui contrôle la tension artérielle. Bien qu'ils aient sauvé de nombreuses vies dans le passé, les médicaments de cette catégorie sont très rarement utilisés de nos jours. Même s'ils sont sécuritaires, ils ont tendance à causer de la fatigue, de la léthargie et même de la dépression, surtout à fortes doses.

Le mode d'action des médicaments plus récents est différent. Ils ont moins d'effets secondaires et sont sécuritaires. Ainsi, on prescrit le méthyldopa seulement lorsque les autres médicaments ne parviennent pas à réduire la tension artérielle.

C'est toujours celui qu'on prescrit aux femmes enceintes, pour qui il est sécuritaire. Pour de très bonnes raisons, les médecins n'ont tendance à prescrire des médicaments aux femmes enceintes que s'ils sont sur le marché depuis de nombreuses années, simplement parce que l'expérience nous assure qu'ils n'ont pas d'effets indésirables sur le fœtus.

Des données suffisantes nous permettent de croire que le méthyldopa est sécuritaire pendant la grossesse. Si c'est le cas pour vous, et si votre tension nécessite

---

Médicaments qui agissent sur le système nerveux

- Clonidine
- Méthyldopa
- Moxonidine

toujours un traitement, on vous prescrira probablement un autre médicament après la naissance.

Plus récemment, la moxonidine a été introduite sur le marché et elle semble avoir moins d'effets secondaires que le méthyldopa, mais aucune étude sur les résultats à long terme n'a été effectuée sur son efficacité dans la prévention des crises cardiaques ou des AVC. Pour cette raison, on a tendance à prescrire la moxonidine comme troisième ou quatrième médicament lorsqu'on ne parvient pas à contrôler la tension à l'aide des médicaments courants. Selon l'état actuel des connaissances, elle ne doit pas être prescrite aux femmes enceintes.

Les traitements combinés

Comme nous l'avons vu plus haut, plus de la moitié des gens qui souffrent d'hypertension doivent prendre plus d'un médicament pour la contrôler, mais en général, cela représente quatre comprimés par jour au plus, parfois moins. Certaines combinaisons de médicaments sont plus efficaces que d'autres.

Bien qu'il existe de nombreuses exceptions, en général il est préférable de prescrire les bêtabloquants et les inhibiteurs de l'ECA avec des diurétiques thiazidiques ou des inhibiteurs des canaux calciques. Souvent, il est peu avantageux de combiner un inhibiteur de l'ECA à un inhibiteur des canaux calciques.

Si vous faites partie de la minorité de personnes qui doivent prendre trois médicaments pour contrôler leur tension artérielle, sachez qu'il n'y a probablement aucune interaction médicamenteuse importante. On considère qu'il est préférable de prendre deux médicaments pour réduire la tension, ou plus à faibles doses, plutôt qu'un seul médicament à forte dose.

Vous pouvez prendre tous les médicaments en même temps, une fois par jour, même si vous devez en consommer quatre. Pour aider les patients qui doivent prendre plusieurs médicaments, il existe plusieurs comprimés contenant deux médicaments différents mais compatibles (par exemple, Zestoretic et Cozaar-Comp).

Les directives de la British Hypertension Society

La BHS a publié des directives avisées très pratiques sur le choix des médicaments pour les patients qui souffrent d'hypertension. En général, les plus jeunes et ceux qui souffrent de diabète doivent prendre des inhibiteurs de l'enzyme de conversion de l'angiotensine ou des bloqueurs des récepteurs de l'angiotensine comme traitement de première intention, alors que les plus âgés et les patients d'origine afro-antillaise doivent prendre des inhibiteurs des canaux calciques ou des diurétiques thiazidiques.

On considère maintenant qu'il est préférable de réserver les bêtabloquants pour les patients souffrant de cardiopathie, avec ou sans diurétiques thiazidiques. Ils peuvent être associés à une plus grande fréquence de diabète.

Comme 75 % de tous les patients souffrant d'hypertension doivent prendre plus d'un médicament pour contrôler leur tension artérielle, la BHS propose aussi des conseils avisés sur les autres médicaments. Habituellement, on ajoute un inhibiteur de l'ECA ou un bloqueur des récepteurs de l'angiotensine à un inhibiteur des canaux calciques ou un diurétique, et on ajoute un inhibiteur des canaux calciques ou un diurétique à un inhibiteur de l'ECA ou un bloqueur des récepteurs de l'angiotensine.

Les directives de la BHS se fondent sur le fait qu'il est peu avantageux d'ajouter un diurétique thiazidique à un inhibiteur des canaux calciques ou d'ajouter un inhibiteur de l'ECA à un bloqueur des récepteurs de l'angiotensine (ou un bêtabloquant).

Les spécialistes rencontrent fréquemment des patients prenant une combinaison de médicaments qui n'est pas conforme aux directives de la BHS. Si la tension artérielle est bien contrôlée, le clinicien peut maintenir le traitement, mais le plus souvent, il prescrira une combinaison de médicaments conforme à ces directives.

Les personnes d'origine asiatique ou afro-antillaise

La communauté afro-antillaise

L'hypertension est très courante dans cette communauté. Aux États-Unis, elle est deux fois plus fréquente que chez les Blancs ou les Hispaniques. Le portrait est très semblable au Royaume-Uni, de même que chez les sociétés urbaines d'Afrique. Tout à fait à l'opposé, en Afrique rurale, l'hypertension est relativement rare.

La réalité tend à démontrer que la fréquence accrue de l'hypertension dans la communauté afro-antillaise au Royaume-Uni et aux États-Unis est liée à la consommation de sel. En Afrique, l'urbanisation croissante s'accompagne d'une augmentation marquée de la consommation de sel, avec une diminution correspondante de la consommation de potassium (provenant des fruits et légumes), ce qui contribue à une tension artérielle plus élevée chez les gens.

Les directives de la British Hypertension Society (BHS) sur le choix de médicaments pour les patients souffrant d'hypertension

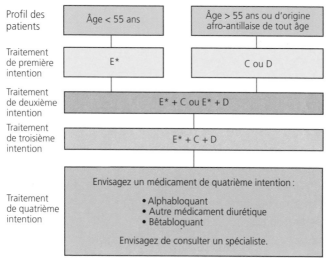

Profil des patients	Âge < 55 ans	Âge > 55 ans ou d'origine afro-antillaise de tout âge
Traitement de première intention	E*	C ou D
Traitement de deuxième intention	E* + C ou E* + D	
Traitement de troisième intention	E* + C + D	
Traitement de quatrième intention	Envisagez un médicament de quatrième intention : • Alphabloquant • Autre médicament diurétique • Bêtabloquant Envisagez de consulter un spécialiste.	

Clé
E = inhibiteur de l'ECA (*Envisagez un bloqueur des récepteurs de l'angiotensine si vous ne les tolérez pas.)
C = inhibiteur des canaux calciques
D = diurétique thiazidique

En général, avec l'urbanisation, il y a aussi une augmentation marquée du poids, ce qui aggrave la situation.

Au Royaume-Uni et aux États-Unis, les preuves voulant que les personnes d'origine afro-antillaise consomment plus de sel que quiconque sont moins convaincantes, bien qu'aux États-Unis, leur alimentation contient peu de potassium, car ils mangent moins de fruits et de légumes frais. Toutefois, il semblerait qu'ils sont plus sensibles à une quantité de sel donnée que les personnes d'origines ethniques différentes.

Possiblement à cause d'une plus grande sensibilité au sel, des faits ont révélé que les Afro-Antillais qui souffrent d'hypertension présentent des taux sanguins moins élevés pour deux hormones, la rénine et l'angiotensine II. Cela est important, car comme nous l'avons vu, certains médicaments réduisent la tension en bloquant les effets de ces hormones. Ainsi, ces médicaments sont moins efficaces chez les gens qui présentent déjà des taux inférieurs de ces hormones, ce qui n'est guère surprenant. Par conséquent, les bêtabloquants, les inhibiteurs de l'ECA et probablement les bloqueurs des récepteurs de l'angiotensine peuvent être moins efficaces si vous êtes d'origine afro-antillaise. Les médicaments qui ont un mode d'action différent, comme les diurétiques thiazidiques, les inhibiteurs des canaux calciques, les alphabloquants et possiblement les médicaments qui agissent sur le système nerveux, sont préférables.

Autre facteur important, le diabète est trois fois plus courant chez les Afro-Antillais au Royaume-Uni, comparativement aux Blancs; le diabète et l'hypertension vont fréquemment de pair. Si vous souffrez des deux, vous risquez davantage de développer une maladie cardiovasculaire. Cela signifie que votre médecin vous prescrira probablement des antihypertenseurs au départ, même si votre tension artérielle n'est que légèrement élevée. En fait, à l'heure actuelle, on estime que toute personne souffrant à la fois de diabète et d'hypertension, peu importe son origine, doit être traitée si sa tension artérielle est supérieure à 140/90 mm Hg.

Au Royaume-Uni, et dans une moindre mesure aux États-Unis, les coronaropathies sont relativement moins courantes chez les gens d'origine afro-antillaise. Par ailleurs, les AVC et l'insuffisance rénale sont moins courantes. Les raisons de ces différences ne sont pas claires, mais d'un point de vue pratique, si vous appartenez à une communauté afro-antillaise, vous devez tenir compte des conseils suivants :

- limiter votre consommation de sel;

- faire vérifier votre tension artérielle régulièrement;

- être prêt à prendre des médicaments, de façon permanente, si votre tension est régulièrement élevée.

Toutefois, il y a de bonnes nouvelles. Des faits révèlent que les patients afro-antillais souffrant d'hypertension tirent un meilleur profit d'une alimentation faible en sel que les patients d'origine européenne.

Malgré le fait que les inhibiteurs de l'ECA et les bloqueurs des récepteurs de l'angiotensine soient moins efficaces chez les patients d'origine africaine, des faits révèlent que ces médicaments préviennent efficacement les lésions rénales chez les Afro-Antillais qui souffrent déjà d'une affection rénale. On croit que cet avantage résulterait de l'action directe de ces médicaments sur les reins et qu'il n'est probablement pas lié aux effets sur la tension artérielle. Ces patients ont souvent besoin d'un diurétique thiazidique ou d'un inhibiteur des canaux calciques pour contrôler leur tension artérielle.

La communauté asiatique

Les Asiatiques qui vivent au Royaume-Uni sont plus susceptibles de développer l'hypertension que leurs voisins blancs. On croit que cela est lié à une plus forte tendance au surplus de poids et à une plus grande propension à développer le diabète. Leurs taux de coronaropathie (angine et crise cardiaque) sont très élevés, possiblement parce que ces Asiatiques consomment de grandes quantités d'aliments gras, du moins en partie.

Tout comme pour la communauté afro-antillaise, la différence ethnique demeure en partie inexpliquée. Selon les données actuelles, les gens d'origine asiatique ne semblent pas réagir différemment des Blancs aux différentes catégories d'antihypertenseurs.

Les autres groupes ethniques

Actuellement, nos connaissances sont limitées à l'égard de l'hypertension et des risques associés à d'autres groupes ethniques au Royaume-Uni. Certaines personnes d'origine chinoise consomment de grandes quantités de sel, et cela peut expliquer la forte incidence d'AVC en Chine et au Japon. Il y a peu d'information à ce sujet au Royaume-Uni. Cela dit, il est bon de réduire votre apport en sel, peu importe votre origine. Il n'existe aucune preuve que les plantes ou les épices orientales sont nocives. Toutefois, prenez garde aux remèdes à base de plantes médicinales orientales importés de Chine. Certains sont très toxiques et la qualité de leur contenu n'est pas du tout contrôlée.

Les avantages universels d'un style de vie sain

Le conseil est le même pour tous : une alimentation riche en gras, en sel, et pauvre en fruits et légumes nuit à votre santé cardiovasculaire, alors qu'une alimentation faible en gras et en sel et riche en fruits et légumes est avantageuse. Elle contribuera à vous protéger des maladies en général, et des maladies cardiovasculaires en particulier. Peu importe votre origine ethnique, évitez les excès d'alcool et faites davantage d'exercice.

POINTS CLÉS

- Il existe un vaste choix d'antihypertenseurs.

- Tous les hypertenseurs sont à peu près également efficaces.

- Environ la moitié des gens qui souffrent d'hypertension doivent prendre deux médicaments ou plus pour contrôler leur tension artérielle.

- Les médicaments plus récents ont moins d'effets secondaires.

Cas particuliers

Les femmes enceintes

En général, votre tension artérielle demeure la même ou chute légèrement lorsque vous êtes enceinte. Elle est élevée pour certaines femmes, mais elle l'était probablement déjà depuis un certain temps, sans avoir été vérifiée. Dans ce cas, il s'agit d'une coïncidence sans lien avec la grossesse. La vérification a simplement permis de la déceler, et elle est gérée de la même façon que pour toute autre personne, bien que le choix de médicaments puisse différer.

Chez environ 25 % des femmes qui attendent leur premier bébé, la tension artérielle est légèrement élevée au cours des trois derniers mois. Si on n'observe pas de lésion rénale et qu'il n'y a pas de protéines dans l'urine, alors les médicaments ne sont pas nécessaires. L'importance de cette légère augmentation est incertaine, mais elle doit être surveillée de près.

La prééclampsie

On appelle parfois « hypertension gravidique » l'hypertension qui se développe pendant la deuxième partie de la grossesse, sans la présence de protéines dans l'urine. Il semble maintenant que cette forme d'hypertension soit en fait une forme très bénigne de la prééclampsie.

Cette dernière peut être très grave pour vous et votre bébé. Elle affecte environ 5 % des femmes pendant la deuxième partie de leur première grossesse. Elle est établie à 160/90 mm Hg et, en général, une analyse d'urine révélera la présence de protéines dans l'urine. Non détectée, elle peut évoluer en éclampsie, un état grave où la femme souffre de crises épileptiques et qui met la vie de la mère et de son bébé en danger. L'hospitalisation et un traitement spécialisé sont nécessaires. La cause demeure en partie inconnue et n'est donc pas toujours évitable. La prééclampsie est moins courante au cours de la deuxième ou de la troisième grossesse (avec le même père).

C'est la raison pour laquelle on vérifie votre tension artérielle et votre urine chaque fois que vous vous présentez au centre de consultation prénatale. Si on vous a prescrit un antihypertenseur pour la première fois alors que vous étiez enceinte, vous pourrez probablement cesser de le prendre lorsque votre bébé aura environ deux semaines, mais vos médecins vous demanderont de passer des examens réguliers. De nombreuses femmes qui ont souffert d'hypertension au cours de leur première grossesse n'en souffriront pas lors des suivantes.

Le contrôle de la tension artérielle chez les femmes enceintes

Au cours de la grossesse, le choix des médicaments est très limité. On sait que le méthyldopa qui agit sur le système nerveux est tout à fait sécuritaire et que le labétalol peut l'être aussi. Trois études ont révélé que l'aténolol, un bêtabloquant, était associé à un retard de croissance du bébé; il n'est donc plus recommandé aux femmes enceintes ou qui prévoient le devenir.

Les inhibiteurs de l'ECA et les bloqueurs des récepteurs de l'angiotensine ne doivent être prescrits en aucun cas, y compris lorsqu'on prévoit une grossesse.

Si les médicaments n'arrivent pas à contrôler la tension, alors on peut ajouter la nifédipine (un inhibiteur des canaux calciques), bien qu'on ne dispose que de peu d'information sur son utilisation.

On sait maintenant que les femmes qui ont souffert d'hypertension au cours de la grossesse, mais dont la tension est revenue à la normale après l'accouchement, sont plus à risque de développer des complications plus tard au cours de leur vie. Pour cette raison, toute femme qui souffre d'hypertension pendant sa grossesse doit consulter son médecin au moins une fois par année.

Les personnes qui souffrent de maladies pulmonaires

Le plus important est d'éviter les bêtabloquants si vous souffrez d'asthme, que votre respiration est sifflante ou que vous éprouvez des difficultés à respirer. En revanche, il n'y a aucun problème avec les autres antihypertenseurs. Les inhibiteurs de l'ECA peuvent causer une toux sèche et irritante, mais celle-ci n'est pas associée à la dyspnée (essoufflement) en général. La toux disparaîtra lorsque vous cesserez de prendre les comprimés. Il y a beaucoup d'autres médicaments de remplacement.

L'angine

Si vous en souffrez, vous devrez faire l'objet d'une évaluation approfondie. On devra mesurer votre taux de cholestérol sérique et, au besoin, vous devrez prendre des médicaments pour réduire ce taux.

Les bêtabloquants peuvent être particulièrement utiles pour réduire la fréquence des accès d'angine, mais votre médecin devra vous suivre de près. La plupart des patients qui souffrent d'angine doivent être référés à un cardiologue affilié à un hôpital en vue de faire faire des radiographies détaillées du cœur (coronarographie).

Après une crise cardiaque

Un hypolipidémiant comme la simvastatine pourrait contribuer à réduire votre taux de cholestérol en vue de réduire le risque d'une nouvelle crise. Les inhibiteurs des ECA et les bêtabloquants ont des avantages supplémentaires de votre point de vue, car en plus de contrôler votre tension, votre cœur travaille moins fort et votre muscle est mieux protégé contre de nouvelles lésions. En général, votre médecin vous recommandera de prendre de faibles doses d'aspirine tous les jours.

Après un AVC

Si vous avez eu le malheur de subir un AVC, il pourrait être dangereux de réduire votre tension rapidement. Toutefois, à long terme, un contrôle prudent réduit le risque de récurrence. Le choix d'un médicament relèvera du médecin. Le fait d'avoir subi un AVC ne signifie pas que vous devez éviter certains types de médicaments ou que d'autres seraient mieux appropriés. Si les tests montrent que votre AVC provient d'une thrombose cérébrale (caillot sanguin au cerveau), contrairement à une hémorragie cérébrale, alors on vous prescrira de l'aspirine à faibles doses.

La dépression

Si vous avez tendance à être déprimé ou inquiet au sujet de votre hypertension, rappelez-vous que l'avènement des antihypertenseurs est la grande réussite médicale des 50 dernières années. Ils ont réduit les crises cardiaques et les AVC de façon impressionnante.

On prescrit parfois une faible dose de bêtabloquant aux patients qui ont tendance à être hyperanxieux ou qui souffrent d'accès de panique. Ces médicaments peuvent atténuer l'anxiété; toutefois, ils n'ont aucun effet sur l'humeur. À proprement parler, ce ne sont pas des médicaments utilisés en psychiatrie et ils ne créent aucune dépendance, contrairement au Valium (diazépam).

Il est possible que les autres bêtabloquants, comme le propanolol et le méthyldopa qui agit sur le système nerveux, ne vous conviennent pas, car ils peuvent être associés à la dépression, à la léthargie et à la fatigue. Par conséquent, il est préférable de les éviter si vous avez une propension à la dépression. Les diurétiques thiazidiques et les nouvelles catégories d'antihypertenseurs ne semblent avoir aucun effet sur l'humeur.

Si on traite votre dépression à l'aide de lithium, évitez les diurétiques thiazidiques, car votre taux de lithium sanguin pourrait augmenter dangereusement.

Les contraceptifs oraux

La plupart d'entre eux provoquent une légère augmentation de tension anodine. Néanmoins, la tension artérielle diastolique augmente à plus de 90 mm Hg chez environ 5 % des femmes – en général plus âgées, obèses, et avec des antécédents de tension légèrement élevée.

Le contraceptif lui-même cause rarement une hypertension grave qui nécessite un traitement.

Des faits révèlent que les nouvelles préparations combinées, à faibles doses et les contraceptifs à base de progestérone seule causent une augmentation de tension moins importante que les anciennes préparations combinées à fortes doses. Vous pourrez peut-être prendre un contraceptif oral combiné, même si vous souffrez d'hypertension, pourvu que vous soyez suivie de près par votre médecin. Il est très important d'éviter le surplus de poids. Un grand nombre de complications liées aux contraceptifs affectent surtout les femmes plus âgées qui fument.

Le traitement hormonal substitutif (THS)

La quantité d'œstrogènes dans ce traitement est beaucoup moins importante que dans les contraceptifs oraux. Auparavant, les médecins étaient réticents à le prescrire aux femmes souffrant d'hypertension, mais des études récentes montrent qu'il est sécuritaire, pourvu que vous soyez suivie de près par votre médecin. Souffrir d'hypertension en soi ne vous empêche pas de recourir au THS, mais vous devez éviter de prendre beaucoup de poids, ce qui se produit parfois avec ce traitement. Rien ne permet d'affirmer que le THS nuit aux antihypertenseurs.

Les premières études ont indiqué que le THS pourrait être associé à une réduction des risques de crise cardiaque et d'AVC. Malheureusement, des essais cliniques de médicaments contrôlés (placébos) ont révélé que ce n'était pas le cas. En fait, on a observé légèrement plus de crises cardiaques chez les femmes qui suivaient un THS. Par conséquent, la plupart des cliniciens jugeaient que le THS ne devait pas être prescrit pour prévenir les crises cardiaques, mais uniquement pour prévenir les symptômes désagréables associés à la ménopause. Le THS est recommandé pendant cinq ans au plus, sauf s'il est vraiment nécessaire au soulagement des symptômes désagréables.

Les enfants

Il est très rare qu'un enfant souffre de tension artérielle très élevée, et, si c'est le cas, elle est généralement associée à une affection rénale importante. Ces enfants doivent être évalués dans des hôpitaux spécialisés pour enfants. Les enfants obèses et ceux qui ont des antécédents familiaux d'hypertension marqués peuvent présenter une tension légèrement élevée. Si vous souffrez vous-même d'hypertension, vous devez savoir que vos enfants sont à risque. Assurez-vous que leur alimentation est pauvre en sel, autant que possible, et, en particulier, ne les laissez pas manger trop de croustilles, de collations salées ou d'aliments prêts-à-manger comme les hamburgers. Vous devez aussi surveiller leur poids.

La tension artérielle élevée peut très rarement être la complication d'une affection rénale polykystique autosomique dominante. En général, on la diagnostique à l'âge adulte, mais un parent qui en souffre doit savoir que son enfant a 50 % de chances d'en hériter. Si c'est votre cas, prenez des dispositions pour que vos enfants fassent l'objet d'un examen de dépistage de cette affection.

Le diabète

Depuis 1995, des progrès importants dans ce domaine nous permettent de mieux comprendre le traitement des diabétiques. Plus de la moitié d'entre eux présentent une tension artérielle élevée. Le contrôle de cette tension a des avantages impressionnants. Les diabétiques sont plus susceptibles d'avoir les deux types de lésions vasculaires suivantes :

- lésion microvasculaire (petits vaisseaux) des reins, des yeux et des nerfs;
- lésion macrovasculaire (gros vaisseaux) aux artères des jambes, du cerveau et du cœur.

En conséquence, la British Society for hypertension recommande maintenant de réduire la tension des diabétiques sous 130/80 mm Hg, si cela est possible.

Les deux types de diabète

Il faut se rappeler qu'il existe deux types de diabète très différents. D'abord, le diabète de type 1 (insulinodépendant), qui apparaît à l'enfance ou très tôt. Les patients sont susceptibles de développer des lésions cardiovasculaires, aux reins et à la rétine. Presque tous sont traités avec des injections d'insuline. Une fois les reins atteints, la tension augmente et les antihypertenseurs sont nécessaires.

À l'opposé, le diabète de type 2 (non insulinodépendant) apparaît chez les personnes plus âgées qui ont souvent un excédent de poids et souffrent déjà d'hypertension. Ils sont plus susceptibles de faire une crise cardiaque ou un AVC en raison des lésions macrovasculaires. Au départ, on peut le traiter à l'aide d'un régime alimentaire spécial et d'antidiabétiques oraux. Quelques rares patients nécessitent des injections d'insuline.

Dans les deux cas, les inhibiteurs de l'enzyme de conversion de l'angiotensine (ECA) et les bloqueurs des récepteurs de l'angiotensine contribuent à prévenir ou à retarder les lésions rénales, même si la tension n'est pas élevée.

On dispose maintenant de données suffisantes pour affirmer qu'une réduction de la tension et du taux de cholestérol aide à prévenir les crises cardiaques et les AVC. En fait, il semble que les diabétiques bénéficient davantage d'une diminution de tension que les patients qui ne souffrent pas de diabète. Ce qui pourrait aussi être vrai pour le cholestérol. Une étude britannique très importante publiée en 1998 a révélé qu'une réduction de tension à 140/85 mm Hg pour les personnes atteintes de diabète de type 2 était très avantageuse.

Par conséquent, tous les diabétiques doivent faire vérifier leur taux de cholestérol. S'il est élevé, il doit être réduit. En outre, ils doivent contrôler leur glycémie le mieux possible à l'aide de comprimés ou d'insuline.

De surcroît, il est essentiel de réduire la tension artérielle. Les faits permettent d'affirmer qu'une alimentation pauvre en sel est particulièrement avantageuse chez les patients atteints de diabète de type 2. De plus, cette alimentation décuple l'effet de certains antihypertenseurs.

Pour bien contrôler la tension des diabétiques, il est presque toujours nécessaire de prescrire au moins deux, parfois trois antihypertenseurs différents. La plupart des spécialistes du diabète préfèrent maintenant prescrire des inhibiteurs de l'ECA ou des bloqueurs des récepteurs de l'angiotensine comme traitement de première intention, car comme nous l'avons vu, ils retardent l'apparition des lésions rénales.

Au besoin, on prescrit aussi un inhibiteur des canaux calciques. Les diurétiques thiazidiques à fortes doses peuvent aggraver le diabète. Ils étaient d'ailleurs moins populaires par le passé. Néanmoins, nous savons maintenant que si la dose est appropriée, surtout comme traitement supplémentaire, ces diurétiques sont avantageux pour les diabétiques.

Les personnes âgées

Il y a quelques années, les personnes âgées étaient considérées comme un groupe distinct nécessitant un traitement différent des plus jeunes. Nous savons maintenant que c'est faux. Lorsque vous vieillissez, votre tension artérielle s'accroît et le risque de crise cardiaque et d'AVC augmente proportionnellement. Des essais thérapeutiques récents ont montré que les antihypertenseurs étaient très efficaces chez les personnes âgées et contribuaient à prévenir un grand nombre d'AVC et de crises cardiaques. Ces personnes souffrent aussi plus souvent de diabète et d'arthrite, et si c'est votre cas, on pourra vous prescrire des antihypertenseurs différents.

Par ailleurs, le traitement de la tension demeure le même, peu importe votre âge. Si votre tension est régulièrement supérieure à 160/100 mm Hg, même en suivant les conseils relatifs à votre style de vie (p. 41 à 55), vous devrez prendre des antihypertenseurs.

On observe une tendance des diurétiques thiazidiques et des inhibiteurs des canaux calciques à être plus efficaces et des inhibiteurs de l'ECA et des bêtabloquants à être moins efficaces chez les personnes âgées. Vous devrez parfois prendre deux médicaments différents à faibles doses plutôt qu'un seul à fortes doses.

Rassurez-vous, le contrôle de votre tension grâce à ces médicaments prévient les AVC de façon très efficace. Rien ne vous empêche de mener une vie normale, active, si vous adoptez une saine alimentation sans trop de sel et qui comporte des quantités suffisantes de fruits et de légumes riches en potassium.

Les bienfaits du traitement de l'hypertension chez les personnes âgées sont impressionnants, mais il est toujours remis en question pour les patients de 80 à 85 ans. Une étude à long terme axée sur les résultats est en cours chez ces patients.

Comme le traitement de ces patients demeure incertain, selon l'opinion actuelle, les effets secondaires doivent être négligeables pour justifier le traitement. Toutefois, de nombreux cliniciens sont d'avis que les diurétiques thiazidiques constituent un choix avisé, car ils ont peu d'effets secondaires.

Une étude pilote, Hypertension in the Very Elderly Trial (HYVET) a récemment publié ses résultats. Ceux-ci révèlent que les antihypertenseurs chez les personnes de 80 ans sont associés à une réduction des AVC et des défaillances cardiaques, sans aucune conséquence sur l'espérance de vie. Cette étude est importante et un nouvel essai approfondi a maintenant été établi.

POINTS CLÉS

■ Les femmes enceintes doivent surveiller de près leur tension artérielle et, à l'occasion, les médicaments sont nécessaires.

■ Les cardiopathies, les maladies respiratoires et le diabète concomitants influencent le choix des antihypertenseurs qui seront utilisés.

■ On contrôle la tension artérielle exactement de la même façon chez les personnes de plus de 65 ans que chez les plus jeunes; le traitement prévient efficacement les crises cardiaques et les AVC.

Progrès dans la recherche sur l'hypertension

Le visage de la recherche médicale

Nous disposons constamment de nouveaux renseignements, le rythme de la recherche médicale s'accélérant de jour en jour. Depuis l'an 2000, nous connaissons beaucoup mieux l'hypertension. Bien qu'une partie de ces connaissances soit plutôt d'intérêt scientifique et théorique, des essais thérapeutiques à long terme axés sur les résultats sont pertinents pour les soins cliniques.

L'importance des études

L'étude américaine DASH-Sodium a démontré de façon convaincante qu'une alimentation pauvre en gras et en sel et riche en fruits et en légumes réduisait la tension artérielle autant qu'un seul antihypertenseur. Par conséquent, on insiste de plus en plus sur les changements de style de vie pour réduire la tension.

Au cours de l'année 2002, la MRC/BHF Heart Protection Study, une étude longitudinale britannique axée sur les résultats, a été publiée. Elle révélait que la réduction du taux de cholestérol à l'aide de la simvastatine était très avantageuse. Un sous-groupe de patients souffrant d'hypertension était aussi moins à risque de développer des complications cardiovasculaires.

En 2003, cette étude a été appuyée par l'Anglo Scandinavian Cardiac Outcome Trial – Lipid Lowering Arm (ASCOT – LLA), qui révélait que l'administration d'hypocholestérolémiants aux patients hypertendus ayant un taux de cholestérol légèrement élevé, réduisait le risque d'AVC et de crises cardiaques. Cette partie de l'essai ASCOT a dû être abandonnée, car sur le plan éthique, il n'était plus défendable de donner des placébos à ces patients lors d'un essai contrôlé. Comme de nombreuses études prouvent que les médicaments de la catégorie statine réduisent la fréquence des AVC et des crises cardiaques, on connaît davantage l'importance des hypocholestérolémiants chez les patients hypertendus à haut risque.

En décembre 2002, une étude américaine de grande envergure a été publiée, comparant la chlorthalidone (diurétique thiazidique), l'amlodipine (inhibiteur des canaux calciques) et le lisinopril (inhibiteur de l'ECA). De façon peut-être un peu surprenante, la chlortalidone, un ancien diurétique thiazidique, s'est avérée le médicament le plus efficace.

De nombreuses personnes soutiennent déjà que les diurétiques thiazidiques devraient être les principaux antihypertenseurs dans le traitement de l'hypertension. En fait, comme la plupart des patients ont besoin de plus d'un médicament, il est sans doute préférable de prescrire un diurétique thiazidique avec un inhibiteur de l'ECA comme le lisinopril ou un antagoniste des récepteurs de l'angiotensine (ARA) comme le losartan.

L'étude thérapeutique LIFE publiée en mars 2002, menée avec des patients à haut risque d'hypertension montrant des signes évidents d'hypertrophie du cœur, a révélé que les patients recevant du losartan (ARA) développaient 25 % moins d'AVC et de diabète d'apparition récente que ceux traités à l'aténolol. Toutefois, on ignore toujours s'il s'agit d'un avantage du losartan ou d'un effet indésirable des bêtabloquants.

On croit maintenant de plus en plus que les bêtabloquants doivent être réservés aux patients souffrant d'une coronaropathie, car on a prouvé qu'ils prévenaient sa réapparition. Par conséquent, on prescrit de moins en moins ces médicaments comme traitement de première intention aux personnes souffrant d'hypertension qui ne sont pas atteintes d'une maladie cardiaque.

En 2005, l'étude Anglo Scandinavian Cardiac Outcome Trial – Blood Pressure Lowering Arm (ASCOT – BPLA) a été publiée, comparant un traitement à l'aténolol (bêtabloquant) avec ou sans bendrofluméthiazide, avec le périndopril (inhibiteur de l'ECA). Les patients prenant l'amlodipine avec le périndopril ont subi considérablement moins d'AVC et de diabète d'apparition récente.

Le résultat de toutes ces études est que la plupart des cliniciens prescrivent de moins en moins de bêtabloquants pour soigner l'hypertension, sauf en cas de maladie cardiaque.

Il y a de plus en plus de preuves en faveur des inhibiteurs de l'ECA ou des ARA comme traitement de première intention chez les patients plus jeunes et des inhibiteurs des canaux calciques et des diurétiques thiazidiques chez les plus âgés.

L'avenir

L'hypertension a fait l'objet d'un grand nombre d'études à long terme axées sur les résultats et menée de façon rigoureuse. Nous avons maintenant la chance de présenter des faits à nos patients, plutôt que des opinions. Certains domaines demeurent obscurs, mais on a prouvé hors de tout doute que les antihypertenseurs étaient très avantageux.

Les recherches se poursuivent sur le meilleur choix de médicaments de première intention, surtout chez les patients qui ont d'autres problèmes, notamment une cardiopathie et le diabète. En outre, nous devons en savoir plus sur les meilleurs médicaments à utiliser comme traitement de deuxième intention si les premiers sont inefficaces.

Nous avons besoin de plus de renseignements sur le seuil de tension artérielle qui nécessite un traitement. Actuellement, il se situe à 160/110 mm Hg chez les patients à faible risque et à 140/90 mm Hg chez les patients à haut risque. Il est possible que ces seuils diminuent. Nous devons disposer de plus amples renseignements pour savoir à quel point il faut réduire la tension; devons-nous la réduire à moins de 140/80 mm Hg ? Au Royaume-Uni comme aux États-Unis, on prévoit des essais pour étudier cette question plus en détail.

Publié en 1998, le Height protection Optimal Treatment (HOT) Trial a révélé que vous devrions tenter de réduire la tension diastolique à moins de 80 mm Hg. Néanmoins, il n'a pas fourni beaucoup de renseignements sur la tension systolique à atteindre. Pour cette raison, des essais sont maintenant prévus, ciblant trois tensions systoliques. Aucun protocole définitif n'a été conçu, et même si les essais commencent bientôt, il est peu probable qu'on obtienne des résultats avant l'année 2010.

Nous prévoyons obtenir plus de renseignements sur la valeur de l'aspirine et d'autres anticoagulants, de même que sur les hypocholestérolémiants chez les personnes souffrant d'hypertension. Enfin, nous anticipons de plus amples renseignements sur les effets des antihyperten- seurs autres que leur impact sur les crises cardiaques et les AVC. Nous devons autre autres déterminer si la diminution de la tension artérielle peut réduire, retarder ou même prévenir la démence due à une maladie des petits vaisseaux sanguins du cerveau.

La recherche se poursuit sur l'impact de votre consti- tution génétique, de votre ADN, sur le développement de complications de l'hypertension et la façon dont vous réagissez aux différents médicaments.

Actuellement, l'une des priorités est de remédier à la situation urgente dans la plupart des pays, notamment au Royaume-Uni, où un très grand nombre de person- nes ont reçu un diagnostic d'hypertension. Un petit nombre seulement reçoit un traitement, et la tension est toujours mal contrôlée chez un bon nombre des personnes traitées.

Au cours des prochaines années, le défi sera peut- être d'améliorer l'efficacité de la prestation des soins de santé afin que plus de patients reçoivent le traitement reconnu pour ses propriétés de préventions des crises cardiaques et des AVC.

Questions
et réponses

Qu'est-ce que l'hypertension ?
L'hypertension est simplement le fait que votre tension artérielle soit plus élevée que la moyenne. Si elle est régulièrement plus élevée, vous risquez davantage de subir une crise cardiaque ou un AVC.

Y a-t-il un remède ?
Oui. Si vous réduisez votre tension, vous préviendrez certainement les crises cardiaques et les AVC.

Comment puis-je savoir si je souffre d'hypertension ?
La seule façon de le savoir est de la faire mesurer par votre médecin. Je crains qu'il n'y ait aucun lien entre l'hypertension et tout autre symptôme précis, y compris les maux de tête. Tous les adultes evraient faire vérifier leur tension artérielle.

Comment puis-je réduire ma tension artérielle ?
Adoptez une alimentation pauvre en sel et riche en fruits et en légumes frais. En outre, essayez d'éviter de prendre du poids et modérez votre consommation d'alcool.

Que dois-je faire si ce n'est pas efficace ?

Si les traitements sans médicaments ne parviennent pas à réduire votre tension, très souvent, les médicaments seront nécessaires. Toutefois, vous avez le choix d'un grand nombre d'antihypertenseurs et on peut presque garantir que vous n'éprouverez aucun effet secondaire. Le plus important est de se rappeler que si votre tension est contrôlée, votre risque de subir une crise cardiaque ou un AVC est grandement réduit.

Est-ce que je pourrai un jour cesser le traitement ?

Vous pouvez cesser de prendre des médicaments uniquement sous supervision médicale et en étant suivi de près. Presque tous les patients doivent prendre leurs médicaments indéfiniment, tout le reste de leur vie. Même si vous pouvez cesser le traitement, votre médecin devra vérifier votre tension au moins tous les deux ou trois mois.

Quelle est la cause de l'hypertension ?

L'hypertension semble résulter de l'action réciproque de facteurs génétiques (hérités) et du style de vie. Les sociétés occidentales ont tendance à consommer des aliments contenant beaucoup de sel. En outre, l'excédent de poids, l'obésité et l'abus d'alcool peuvent mener à l'hypertension.

Cela dit, au bout du compte, nous n'avons pas toutes les réponses à cette question. Il faut se rappeler que chez une très petite minorité de gens, l'hypertension découle d'une affection rénale.

Est-ce que ma tension artérielle ou son traitement va nuire à ma qualité de vie ?

Certainement pas. Les médicaments modernes n'ont pratiquement aucun effet secondaire. Nous vous encourageons à reprendre une vie normale, intéressante et active. Seules les personnes souffrant d'hypertension très grave doivent cesser de travailler, et encore, très brièvement.

L'hypertension est-elle courante ?
Environ sept millions de citoyens britanniques en souffrent. Ils n'ont pas tous besoin de médicaments, mais ils doivent tous être suivis de près par leur médecin de famille.

Graphiques prédictifs du risque cardiovasculaire

Nous pouvons maintenant calculer le risque qu'une personne développe une coronaropathie ou un AVC. En mars 2004, le groupe de travail de la British Hypertension Society a publié son quatrième rapport proposant des directives sur la gestion de l'hypertension. Il a paru dans le *Journal of Human Hypertension* avec une version abrégée dans le *British Medical Journal*. Le rapport comprend des graphiques en couleur vous permettant de calculer vos risques de faire une crise cardiaque ou un AVC au cours des 10 prochaines années. Les graphiques précédents vous permettaient uniquement d'évaluer le risque de crise cardiaque. Ils avaient donc une valeur limitée dans la gestion des patients souffrant d'hypertension qui étaient aussi à risque d'AVC. Ces prédictions sont basées sur une étude de suivi de 54 ans à Framingham, au Massachusetts (États-Unis). Elles se sont révélées plutôt exactes pour les populations non américaines. Pour calculer votre risque cardiovasculaire au cours des

10 prochaines années, vous devez connaître votre tension systolique actuelle (la valeur la plus élevée lorsque le sang sort du cœur) et votre cholestérol sérique total, divisé par votre taux de HDL (lipoprotéine de haute densité), qu'on appelle souvent le « bon » cholestérol (voir la boîte de la page 137 pour obtenir une explication). Choisissez la bonne boîte des diagrammes de couleur des pages 138-139, selon votre sexe et votre âge.

Vous saurez alors si votre risque de maladie cardiovasculaire est élevé (plus de 20 % au cours des 10 prochaines années), modéré (10 à 20 %) ou faible (moins de 10 %). Le seuil est de 140/80 mm Hg pour la prise d'antihypertenseurs et les gens très à risque auront peut-être besoin d'hypocholestérolémiants. Si l'on parvient à réduire la tension et le taux de cholestérol, le risque de maladie cardiovasculaire peut être considérablement réduit. Ces graphiques démontrent aussi les avantages énormes du fait de cesser de fumer.

Les principaux problèmes de ces graphiques sont les suivants. Ils ne sont pas très utiles pour les patients à risque élevé de faire une crise cardiaque ou un AVC. De plus, ils ne tiennent pas compte du diabète concurrent ou de l'impact des antécédents familiaux de maladie cardiovasculaire. Par ailleurs, on ne connaît pas leur précision pour les patients afro-antillais et sud-asiatiques. Cela dit, ils constituent un guide utile et attirent l'attention sur l'importance de tenir compte de tous les facteurs de risque et non pas simplement de la tension artérielle.

Le cholestérol

Le cholestérol provient de deux sources. Notre organisme en fabrique une petite partie et le reste provient de notre l'alimentation. Pour parvenir aux tissus de l'organisme, le cholestérol doit être transporté dans le plasma sanguin par des particules appelées lipoprotéines, une famille de particules comprenant cinq classes principales qui ont toutes des fonctions différentes. Leur nom provient de leur densité relative; les deux classes les plus importantes pour le transport du cholestérol sont la lipoprotéine de basse densité (LDL) et la lipoprotéine de haute densité (HDL). La plus grande partie du cholestérol sanguin se trouve sous la forme de particules LDL, bien que le nombre de particules HDL soit plus grand que le nombre de particules LDL, et cela parce que la particule HDL est plus protéinée et contient donc moins de cholestérol.

De plus en plus, les niveaux élevés de HDL sont associés aux risques plus faibles de développer une maladie cardiovasculaire, d'où l'opinion selon laquelle les particules de HDL contiennent du bon cholestérol. On ne sait pas exactement pourquoi, mais cela pourrait être lié au fait que la HDL prend le cholestérol des cellules qu'elle transporte au foie. Par conséquent, les HDL pourraient prévenir l'accumulation de cholestérol dans les sites importants, comme les parois artérielles, réduisant ainsi le risque d'athérosclérose. Une autre possibilité serait que l'activité antioxydante de la HDL ait un effet protecteur. L'oxydation de la LDL pourrait se produire avant que les particules soient captées dans les parois artérielles. Certains faits, bien qu'ils ne soient pas tout à fait convaincants, révèlent que les antioxydants peuvent prévenir la modification qui se produit dans la LDL, offrant ainsi une protection contre le développement de l'athérosclérose.

Calcul du risque de maladie cardiovasculaire

Pour évaluer le risque absolu de développer une maladie cardiovasculaire au cours des 10 prochaines années, trouvez le
tableau (p. 138-139) du genre, du tabagisme (fumeur/non-
fumeur) et de l'âge de la personne.

Vous connaîtrez alors les renseignements suivants :
Tension artérielle
Cholestérol total (CT)
Lipoprotéine de haute densité (HDL) (si le taux est inconnu,
supposez qu'il est de 1 mmol/litre.

Par exemple, si vous êtes un homme de 50 ans, non-fumeur,
que vous ne souffrez pas de diabète et que votre :
• tension artérielle = 120/80 mm Hg
• cholestérol total (CT) = 6,2 mmol/litre
• HDL = 1,3 mmol/litre

Alors :
Tension artérielle systolique (TAS) = 120 mm Hg
CT/HDL = 6,2/1,3 = 4,8

À partir du bon tableau (voir p. 138-139) trouvez la TAS sur
l'axe vertical et le CT/HDL sur l'axe horizontal et lisez la valeur
du risque (voir l'exemple ci-dessous).

Dans ce cas, le risque de subir une crise cardiaque ou un
AVC mortel ou non est de moins de 10 % au cours des
10 prochaines années.

Hommes non diabétiques

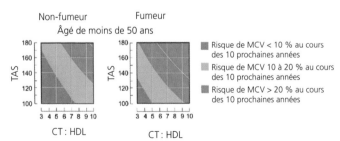

Graphiques prédictifs du risque cardiovasculaire

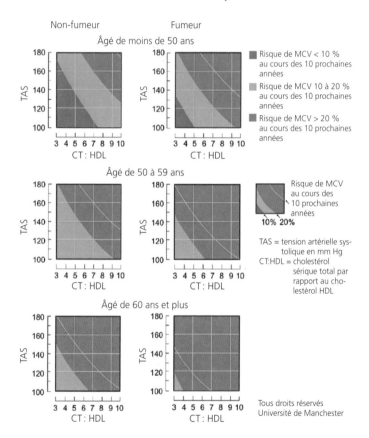

Hommes non diabétiques

Non-fumeur — Fumeur

Âgé de moins de 50 ans

TAS / CT : HDL

Risque de MCV < 10 % au cours des 10 prochaines années

Risque de MCV 10 à 20 % au cours des 10 prochaines années

Risque de MCV > 20 % au cours des 10 prochaines années

Âgé de 50 à 59 ans

Risque de MCV au cours des 10 prochaines années

10% 20%

TAS = tension artérielle systolique en mm Hg
CT:HDL = cholestérol sérique total par rapport au cholestérol HDL

Âgé de 60 ans et plus

Voir les instructions dans la boîte de la page 137 pour savoir comment utiliser ces tableaux pour évaluer le risque absolu de développer une maladie cardiovasculaire au cours des 10 prochaines années pour une personne.

Graphiques prédictifs du risque cardiovasculaire

Femmes non diabétiques

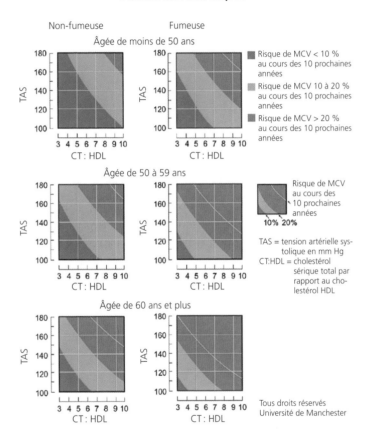

Voir les instructions dans la boîte de la page 137 pour savoir comment utiliser ces tableaux pour évaluer le risque absolu de développer une maladie cardiovasculaire au cours des 10 prochaines années pour une personne.

Index

Vos pages

Nous avons inclus les pages ci-après en vue de vous aider à gérer votre maladie et son traitement.

Avant de fixer un rendez-vous avec votre médecin de famille, il serait utile de dresser une courte liste des questions que vous voulez poser et des choses que vous ne comprenez pas afin de ne rien oublier.

Certaines des sections peuvent ne pas s'appliquer à votre cas.

Soins de santé : personnes-ressources

Nom :

Titre :

Travail :

Tél. :

Nom :

Titre :

Travail :

Tél. :

Nom :

Titre :

Travail :

Tél. :

Nom :

Titre :

Travail :

Tél. :

Antécédents importants – maladies/ opérations/recherches/traitements

Événement	Mois	Année	Âge (alors)

Rendez-vous pour soins de santé

Nom :

Endroit :

Date :

Heure :

Tél. :

Nom :

Endroit :

Date :

Heure :

Tél. :

Nom :

Endroit :

Date :

Heure :

Tél. :

Nom :

Endroit :

Date :

Heure :

Tél. :

Rendez-vous pour soins de santé

Nom :

Endroit :

Date :

Heure :

Tél. :

Nom :

Endroit :

Date :

Heure :

Tél. :

Nom :

Endroit :

Date :

Heure :

Tél. :

Nom :

Endroit :

Date :

Heure :

Tél. :

Médicament(s) actuellement prescrit(s) par votre médecin

Nom du médicament :

Raison :

Dose et fréquence :

Début de l'ordonnance :

Fin de l'ordonnance :

Nom du médicament :

Raison :

Dose et fréquence :

Début de l'ordonnance :

Fin de l'ordonnance :

Nom du médicament :

Raison :

Dose et fréquence :

Début de l'ordonnance :

Fin de l'ordonnance :

Nom du médicament :

Raison :

Dose et fréquence :

Début de l'ordonnance :

Fin de l'ordonnance :

Autres médicaments/suppléments que vous prenez sans une ordonnance de votre médecin

Nom du médicament/traitement :

Raison :

Dose et fréquence :

Début de la prise :

Fin de la prise :

Nom du médicament/traitement :

Raison :

Dose et fréquence :

Début de la prise :

Fin de la prise :

Nom du médicament/traitement :

Raison :

Dose et fréquence :

Début de la prise :

Fin de la prise :

Nom du médicament/traitement :

Raison :

Dose et fréquence :

Début de la prise :

Fin de la prise :

Questions à poser lors des prochains rendez-vous

(Note : N'oubliez pas que le temps que peut vous consacrer votre médecin est limité. Il est donc préférable d'éviter les longues listes de questions.)

Questions à poser lors des prochains rendez-vous

(Note : N'oubliez pas que le temps que peut vous consacrer votre médecin est limité. Il est donc préférable d'éviter les longues listes de questions.)

Notes